«SAGGI»

ULDERICO MUNZI

IL ROMANZO DEL REX

Con un ricordo di Tonino Guerra
Postfazione di Maurizio Eliseo

SPERLING & KUPFER EDITORI

MILANO

IL ROMANZO DEL REX

Proprietà Letteraria Riservata
© 2003 Sperling & Kupfer Editori S.p.A.
Finito di stampare nel febbraio 2004
presso la Mondadori Printing S.p.A.
Stabilimento N.S.M. di Cles (TN)
Printed in Italy

ISBN 88-200-3567-7
92-I-04

II EDIZIONE

Visitate il sito www.sperling.it

Per la citazione dei versi della canzone *Nuvolari* di L. Dalla e R. Roversi si ringrazia
la BMG Ricordi S.p.A., Via Berchet 2, 20121 Milano.

Credit inserto fotografico: foto 1, 7, 12, 13, 14, 15, 16, 17, 18, 19, 20, 21, 22, 24, 25,
27, 28, 29, 30 collezione Maurizio Eliseo; foto 2, 4, 5, 6, 8, 9 Fondazione Ansaldo,
Genova; foto 38 Imperial War Museum, Londra; foto 39 Imperial War Museum,
Londra: foto 40 Museo regionale di Capodistria.

La Sperling & Kupfer Editori S.p.A. potrà concedere a pagamento l'autorizzazione
a riprodurre una porzione non superiore a un quindicesimo del presente volume. Le
richieste vanno inoltrate all'Associazione Italiana per i Diritti di Riproduzione delle
Opere dell'ingegno (AIDRO), via delle Erbe 2, 20121 Milano, tel. e fax 02809506.

Il mio ricordo del *Rex*
di Tonino Guerra

I<small>L</small> *Rex* arrivò nella mia immaginazione in tempi lontani e non se n'è mai andato. Mi trovavo a Roma, sicuramente sul finire degli Anni Cinquanta. Stavo spesso nel gruppo di Renzo Vespiniani, Graziello Urbinati, Elio Petri, Luca Canali e il pittore Ugo Attardi.

Le conversazioni avevano un andare bizzarro, si parlava di cinema, di arte, di poesia, si parlava di tutto. Se ricordo bene fu Luca Canali, toscano, a parlare di Viareggio e poi a raccontare un avvenimento straordinario che gli era rimasto impresso nella memoria.

Era una notte d'estate, una notte calma e profumata di mare. E Luca Canali si avventurò con un moscone, che è un'imbarcazione molto fragile, a un chilometro dalla riva, forse più di un chilometro. Aveva con sé la nonna. Remò a lungo, in piedi sul moscone, remò con vigore. Le luci del litorale gli apparivano già lontane quando raggiunse altre piccole imbarcazioni piene di gente che scrutava l'orizzonte.

Erano tutti in attesa del *Rex*, il grande transatlantico.

V

Doveva passare di lì per raggiungere, probabilmente, Napoli, o forse la Sicilia. Penso che dovesse trattarsi di una crociera.

Il *Rex* aveva già vinto il Nastro Azzurro. C'era una grande pubblicità attorno al meraviglioso transatlantico, il più bello del mondo. Era una nave favolosa per gli italiani.

Le barche erano tante, raccontò Luca Canali, e la gente era eccitata.

Il *Rex* spuntò all'orizzonte con tutte le sue luci che splendevano nella notte e diventò sempre più grande. La gente gridò degli evviva. Questa avventura rischiò di tramutarsi in qualcosa di drammatico perché sulle barche le persone ebbero l'impressione che il gigante arrivasse proprio su di loro. Non fu così. Ma era immenso e le onde sollevate al suo passaggio scossero come fuscelli barche e mosconi e furono in molti a cadere in mare. Sul *Rex*, forse, nessuno si accorse dell'accaduto.

E come era arrivato, il transatlantico dette fiato alle sirene e si allontanò. Così, come vanno via le belle cose. Comunque, Luca Canali riuscì a portare a riva la nonna.

Mi ricordai dell'episodio mentre scrivevo la sceneggiatura di *Amarcord*. Mi piaceva l'idea che il giovane *Rex* passasse davanti alla Romagna, quindi inventai che fosse arrivato nell'Adriatico. Mi entusiasmai all'idea che quella nave magnifica scegliesse il mare di Rimini per fare la sua apparizione. Un sogno illuminato, un incantamento. A Federico, che leggeva attentamente le sceneggiature, la scena piacque. Ma ci sono tanti di questi sogni in *Amarcord*. Il *Rex* è uno dei più belli.

So che il transatlantico non si avvicinò mai a Rimini. Venne nell'Adriatico solo nel 1940, a poche ore dalla dichiarazione di guerra. E non era lo stesso *Rex*, era già invecchiato. Risalì fino al porto di Trieste per una lunga agonia e poi fu portato a morire sotto le bombe nelle acque di Capodistria.

Non aveva più le sue belle luci quando navigò nell'Adriatico davanti alle coste della Romagna. La gente ignorava la sua sorte. Così non gli andò incontro con le barche per dirgli addio.

E per il film *Amarcord*, diretto da Federico Fellini, gli spettatori del passaggio della nave sono Gradisca, le sue sorelle e i compaesani. E scrissi:

... ma ecco quando più nessuno ha fiducia nell'arrivo del transatlantico, il rauco suono di una sirena scuote l'aria. Dal barcone un'ombra grida: «Il *REX*!» Sui mosconi e sui natanti c'è uno scompiglio concitato. Quasi tutti cercano di alzarsi in piedi. Mani svegliano i bambini ancora addormentati.

Una montagna nera, più buia della notte, che diventa sempre più grande e viene avanti, sempre più avanti con un fruscio potente di acque sconvolte...

... l'immenso bastimento, tutto pavesato di luci, scivola via davanti a loro, come un sogno meraviglioso... Anche il cieco di Cantarèl è in piedi e chiede: «Com'è?»

«Bianco», gli suggerisce il vicino.

Il cieco fissa davanti a sé...

... Lassù, sulla tolda del *Rex*, si vede della gente affacciata, figurine in abito da sera che guardano in basso. Qualcuno saluta. Si sente della musica. Ballano...

... adesso il *Rex* è già lontano, è una piccola ghirlanda di luci, una costellazione tra le tante del cielo. Ancora un muggito lontano, fioco, della sirena di bordo...»[1]

Nota

1. Federico Fellini e Tonino Guerra, *Amarcord*, Rizzoli, Milano 1973.

Prefazione e ringraziamenti

TUTTE le grandi navi, affondando, lasciano fantasmi dietro di loro. Tragici come per il *Titanic* e il *Lusitania*, nei primi anni del Ventesimo secolo, tristi e disperati come per il *Rex* alla fine della seconda guerra mondiale.

Questo libro è dedicato al *Rex* e racconta soprattutto la sua avventura, sia la parte segreta sia la parte epica come si diceva un tempo. È il romanzo del *Rex* o, forse, sarebbe meglio dire una rappresentazione della sua realtà virtuale, stratagemma narrativo adottato in molti film e biografie dei nostri giorni. Nel libro la macchina da presa si avvicina al transatlantico, si allontana, si alza, si abbassa per poi tornare ad avvicinarsi mostrando da varie angolazioni la nave e i suoi personaggi.

Tutto è vero perché è veritiero e perché non potrebbe essere altrimenti in una certa situazione. Un dato anagrafico e un dato economico consentivano agli allievi del francese Braudel di dipingere la vita di una famiglia nel Medio Evo, come mangiava, come si comportava, come coltivava i campi, persino come marito e moglie facevano l'amore.

Più volte, cercando materiale sul *Rex*, ho avuto la sensazione di scendere come un subacqueo a profondità inestimabili. Gli abissi non sono soltanto marini. Ci sono abissi in cui fluttuano carte, documenti, riluttanze, misteri, perfidie poliziesche, testimonianze e addirittura entusiasmi che risalgono intatti da ricordi di gioventù. E in tutto questo si avvertono anche quelle strane ombre che sfiorano il sommozzatore quando è sceso dove il mare diventa sempre più scuro.

Certo, anche nelle testimonianze più ricche si coglie (ma non sempre) la volontà di abbellire i ricordi o, meglio, di trasfigurarli. Nei discorsi di alcune persone tra gli ottanta e i cent'anni, con le quali mi sono a lungo intrattenuto, s'intravede di tanto in tanto un'immagine che talora brilla e ce l'hai a portata di mano, poi si spegne o guizza via con una scia che per qualche attimo resta scintillante a mezz'aria come nei cartoni animati. Ma può capitare che certe parole o una sola parola di un diario, di un telegramma, di un rapporto di polizia o di una testimonianza non ti sfuggano più e aprano così uno squarcio sulla verità.

Taluni dicono che anche la storia delle navi dev'essere imbastita solo di documenti, dati, fonti di archivio, certezze, rotte, termini nautici eccetera. Non sono del tutto d'accordo. La risonanza del *Rex* ne sarebbe immiserita.

La sua vicenda è ormai lontana nel tempo e i suoi poveri resti sono nel mare di Capodistria, in Slovenia. Neanche in acque profonde. Del *Rex* sopravvivono solo narrazioni, una certa tradizione orale, e pochi oggetti o parti di arredamento che gli furono rubati, prima che affondasse, dalla soldataglia tedesca e trasportati, come refurtiva, in Germania.

Il *Titanic* è un santuario vandalizzato in fondo all'Oceano. Del *Rex* ci resta qualche ferro arrugginito e coperto di alghe.

X

* * *

Perché ho scelto il *Rex*?

Perché non era soltanto un transatlantico di oltre 50.000 tonnellate con le sue turbine, le sue caldaie, i suoi segreti costruttivi, i suoi 140.000 cavalli vapore; non era soltanto il vincitore della corsa per il Nastro Azzurro, una Versailles navigante, una reggia anche per i più poveri fra i passeggeri, quelli della terza classe.

Il *Rex* era una specie di totem, era un simbolo agli occhi di marinai, tecnici, fuochisti, ingrassatori e camerieri che lo servivano come se ne fossero soggiogati. Un simbolo innanzi tutto per gli operai che lo costruirono credendo di essere guidati da un potere invisibile. Lavorarono fino a sfiancarsi, alcuni morirono di *Rex*. Una divinità per i suoi comandanti.

Non era un'espressione del fascismo. Nell'esistenza del *Rex* il fascismo si manifestò come un epifenomeno. Era un regime che dominava l'Italia quando la nave percorreva trionfalmente mari e oceani negli Anni Trenta. Il fascismo volle inserirla nella sua liturgia, ma pochi ci credettero, soprattutto i suoi passeggeri. La nave portava con sé un campionario d'italianità in un contesto internazionale. A bordo c'era anche lo spirito che animava gli italiani degli Anni Trenta.

Forse solo Genova, che per secoli ha navigato per sfida e per commerci e per fare storia marinara, forse solo Genova dai suoi punti più alti, dalle sue alture, e la Genova della stazione marittima di allora capì che nel cantiere dell'Ansaldo, in quei giorni, prendeva forma un'entità straordinaria. Era inevitabile, a Genova, soffrire della sindrome da *Rex*.

Anche chi vi ha navigato ha paragonato il *Rex* a una divinità, una divinità di certo pagana nonostante tutte le benedizioni che ricevette. Alla fine, nel 1944, si offerse, senza difesa, alla furia di aerei nemici. Gli Alleati furono troppo stupidi e vigliacchi, come del resto lo erano stati i tedeschi che avevano depredato la grande nave. E poi più stupidi e vigliacchi di tedeschi e Alleati, gli slavi che ne demolirono lo scheletro per rubare il suo acciaio, le sue paratie, le sue eliche, le sue estreme strutture. Ma ai tedeschi chiedo, sotto forma di appello, che restituiscano al governo italiano, o meglio ancora a Genova, quanto fu sottratto al *Rex*. Non per farsi perdonare, ma per dimostrare che sono diversi dai loro padri o dai loro nonni presi da un vento di follia.

La storia del *Rex* deve respirare come un romanzo. Del resto un romanzo è sempre intriso di innumerevoli verità. Molte persone mi hanno aiutato a ritrovare lo scenario del *Rex* e il *Rex* stesso, la sua anima.

Un grazie ad Antonella Bonamici, editor, che si è prodigata nei primi passi del libro.

Un grazie a Marco Antonini, mio *coéquipier* in altre imprese libresche, per alcune sue idee che hanno dato l'avvio al mio lavoro.

E di cuore ringrazio testimoni fondamentali come il marinaio Ernesto Isaia, ottantasei anni, che mi ha parlato lungamente di Francesco Tarabotto, comandante del *Rex*, e la signora Piera Borghetti Tarabotto, ottantasei anni, che ne era l'ultima parente e che era molto legata alla mamma del comandante, Maddalena, che è sepolta accanto ai figli nel il cimitero di Staglieno. Entrambi mi hanno permesso non solo di apprezzare il caleidoscopio della personalità di Tarabotto, ma anche di rivivere i giorni di navigazione del

Rex e l'incantesimo che la nave sprigionava quand'era attraccata al porto di Genova o di New York.

Parliamo brevemente di loro. Ernesto Isaia, genovese, ha navigato per trent'anni imbarcandosi per la prima volta nel 1932 come «piccolo di camera». Era addetto agli ascensori e alla pulizia delle posate. Portava su e giù passeggeri come Shirley Temple, Tito Schipa, Clark Gable, Pirandello, Toscanini... Ernesto Isaia era a bordo nell'agosto del 1933 quando il *Rex* lottò per il Nastro Azzurro. Badava spesso al cane del comandante e Tarabotto lo trattava come un figlio e sovente si confidava con lui.

Piera Borghetti Tarabotto, che aveva il padre imbarcato sul *Rex*, rammenta che Francesco Tarabotto era un uomo molto severo. Piera andava spesso nella casa di Corso Italia a parlare con la signora Maddalena e conversava con il comandante tra un imbarco e l'altro. Nei suoi ricordi più belli: «Si restava incantati quando Francesco era in divisa, aveva il fascino della divisa. Ecco perché piaceva alle donne, ma non si voleva sposare. Certo, l'affetto per la madre era esagerato, ma lei aveva fatto tanti sacrifici per i suoi figli, li aveva fatti studiare...»

E un grazie al maestro Vittorio Giuliani, nato il 19 gennaio 1903. Diresse l'orchestra del *Rex* ed era il fratello di Domenico Giuliani, secondo commissario di bordo. Dovevano scambiare qualche telefonata per ritrovarsi nel labirinto della nave. Il maestro rievoca nella sua testimonianza la grande vita del *Rex* in prima classe, il lusso, le danze, le belle donne, il fascino degli incontri, quell'essere lontani da ogni miseria terrestre.

In un vero abbraccio stringo un uomo prezioso e indimenticabile come Mario Magonio (prezioso come suo figlio Alberto) che visse le fasi costruttive e il varo del transatlantico. La sua testimonianza è un affresco che ci porta al cantiere Ansaldo e al battesimo del transatlantico. La sua memoria è fresca, come si nota nei libri che ha scritto: *Diario di Guerra*, che racchiude le tragiche pagine del lager di Mauthausen dove Magonio fu imprigionato e la dolcissima autobiografia *Anche i burattini hanno un cuore*.

La mia gratitudine a Romano Mussolini, figlio di Benito Mussolini, per la sua rievocazione dei giorni del *Rex*, dei giorni passati con il padre e con i fratelli. Un testimone paziente, arguto, intelligente e lontano da ogni sprazzo retorico.

Ringrazio il cardinale Virgilio Noè, don Marco Ricci, monsignor Zanacchi del seminario Sant'Agostino di Pavia, monsignor Vignani e don Lino Casarini, parroco di Bereguardo e di Zelata, Michele Trombetta, sindaco di Ozzero, in provincia di Milano, Rosangela Cassani, Rino Fraccia, lo storico Vittorio Malvezzi, Ivanna Cantoni, responsabile dell'ufficio anagrafe di Ozzero, che mi hanno fatto un ritratto di monsignor Luigi Umberto Gaetano Cassani, per molti anni cappellano del *Rex*, e mi hanno aiutato nelle ricerche. Don Cassani, che poi divenne giudice del Santo Uffizio, protetto e ammirato dal cardinale Ottaviani, è uno dei personaggi più significativi della storia del transatlantico. È morto a Roma nel novembre del 1975 ed è sepolto a Zelata.

Ad altri ancora va la mia riconoscenza per consigli e ricerche. Primo fra tutti, Maurizio Eliseo, scrittore, esperto navale (si deve anche a lui la nascita del nuovo transatlantico *Queen Mary 2*) e grande rievocatore nei suoi libri delle vicende del *Rex*; grazie a Michela De Faveri dell'Unesco di Venezia; grazie all'ingegnere navale e storico della Marina

Franco Scotto, a Giovanni Cordera, al capitano Giuseppe Aloi, al comandante Giuseppe Bertolino, segretario generale dell'Unione nazionale decorati di medaglia d'oro di lunga navigazione della Marina mercantile; a Giuseppe Lanzavecchia, archivista del *Secolo XIX* di Genova. E grazie al capitano di vascello Stefano Vignani della Marina militare italiana e al capitano di fregata Lucio Terranova della capitaneria di porto di Genova, senza l'aiuto dei quali non avrei ottenuto le informazioni che mi hanno portato sulle tracce di Monsignor Luigi Umberto Gaetano Cassani e dell'equipaggio del *Rex*.

Un libro sul passato di una nave ha bisogno sempre di alimentarsi, è come se avesse fame d'informazioni. E così altri ringraziamenti vanno allo storico tedesco Arnold Kludas per le sue informazioni sul Norddeutscher Lloyd. A Silva Bon, storica delle persecuzioni sulla comunità ebraica di Trieste, a David Levi e ad Adriano Dugulin del Museo Nazionale della Risiera di San Sabba. Con riconoscenza ricordo il contributo di Michele Marchianò, storico dell'automobilismo, e di Milada Nuvolari. Il mio apprezzamento al lavoro di Nicola Pastina, ricercatore infaticabile negli archivi. Il professore dell'università di Bologna Franco La Polla e il critico cinematografico Paolo Mereghetti sono da ricordare per la loro collaborazione nella ricerca delle trame dei film proiettati sul *Rex*.

E una stretta di mano vada a tutti gli infaticabili colleghi del Centro di Documentazione del *Corriere della Sera*.

Ed ecco mia moglie Christine, prima lettrice di ogni mio lavoro, il cui intuito mi ha salvato, finché ha potuto, da tanti infortuni. Chiude questa prefazione perché desidero che resti impressa nella memoria di chi l'ha scritta e di chi la leggerà. Preciso che chiude la prefazione come essere umano perché vorrei aggiungervi, per il nostro segreto modo di comunicare, la mia riconoscenza a Nouma, cagnetta.

1

*Noi proclameremo la distruzione... perché, anco-
ra una volta, è una piccola idea così affascinante!*

FËDOR DOSTOEVSKIJ, *I demoni*

I

ELENA aveva paura. Aveva paura degli attentati e della folla, era terrorizzata da Mussolini.

Il treno reale lasciò lentamente la stazione di Borgo San
Dalmazzo di Tenda all'1.30 del primo agosto 1931. Era una
notte chiara e stellata, che lasciava scorgere il profilo cupo
del massiccio dell'Argentera. La regina aprì un finestrino, e
nel salone dal soffitto liberty decorato in oro zecchino si ri-
versò subito il profumo della lavanda che veniva dai monti.

Si sentiva a suo agio, nella tenuta di caccia di Valdieri,
ed era nervosa perché doveva lasciarla per qualche ora.
Odiava le cerimonie ufficiali.

Vittorio Emanuele si era rifugiato nella sua camera da
letto con alcune monete antiche e la sua grossa lente d'ingrandimento. Era preoccupato e brusco. Lo era sempre,
quando doveva affrontare l'incognita di una grande folla e

per il varo del transatlantico *Rex* s'era sparsa la voce, raccolta dal ministero dell'Interno, che gli anarchici e il movimento Giustizia e Libertà avessero progettato un attentato. Elena doveva essere la madrina di quel gigante dei mari.

La regina sospirò e guardò con invidia la marchesa Pallavicino, una delle sue dame di corte: la marchesa era filiforme. Elena avrebbe voluto avere un corpo come il suo!

«Grazie a Dio questo nuovo treno», le disse in francese, «non mi rammenta episodi tragici.»

Prima del 1929 aveva viaggiato per tutta l'Europa sul convoglio che una ditta di Norimberga aveva costruito per Umberto I e Margherita.

Elena rabbrividì. Era diventata regina alla morte del suocero, ucciso a Monza dall'anarchico Gaetano Bresci il 29 luglio 1900. L'attentatore era bello e biondo, ricordò la sovrana, proprio un bell'uomo. Le sembrò indecente far balenare in un ricordo terribile un dettaglio quasi sensuale. Scosse la testa, come per scacciare l'immagine di Bresci che aveva visto in seguito sui giornali.

Quando l'anarchico aveva tirato i tre colpi fatali, Vittorio Emanuele ed Elena erano a bordo dello yacht *Jela*, che poi era il suo soprannome nella lingua del Montenegro, il suo Paese, di cui aveva sempre più nostalgia. Elena, Jelena, Jela...

«Navigavamo nel sole del Mediterraneo; mi abbronzavo sul ponte, sdraiata su un grande asciugamano blu Savoia. Non c'era assolutamente niente di provocante, eppure sorprendevo le occhiate di ufficiali e marinai. Vittorio e io facevamo tante fotografie. Una volta lui... no, no, fu la mia Kodak a inquadrare un delfino.»

Vittorio Emanuele le aveva trasmesso la passione per la fotografia.

Rimasero all'oscuro dell'accaduto fino al 31 luglio, quando un ufficiale scorse i segnali semaforici che provenivano dalla costa calabra, luci intermittenti che, susseguendosi rapidamente, annunciavano che era accaduto qualcosa di grave al sovrano. Sbarcarono e salirono sul treno a Reggio Calabria. Avevano la precedenza, ma impiegarono circa sessanta ore per raggiungere Monza.

Il passato... A cinquantotto anni Elena era sempre più docile ai misteriosi capricci della memoria. Si abbandonava ai ricordi che la sommergevano, come quando, per addormentarsi, si distendeva supina sul letto e poi apriva gambe e braccia in una posizione che lei chiamava a ics, palme aperte e dita dischiuse come per invitare il sonno a scendere su di lei. Se avesse dovuto scrivere i ricordi nel diario, avrebbe avuto grande difficoltà a imprigionare nelle parole quel balenio che ignorava quasi sempre le leggi del tempo e dello spazio.

Ho voluto molto bene a mio suocero, si disse chiudendo il finestrino perché il treno reale aveva imboccato rumorosamente una galleria, era cordiale e affettuoso con me. Si era subito creata fra noi una specie di complicità.

Nella primavera del 1895, quando era venuta a Venezia con la sorella Anna per l'esposizione d'arte, Umberto le aveva dato persino una leggera gomitata sul fianco e le aveva mormorato che doveva affrettarsi a fare innamorare suo figlio Vittorio Emanuele.

Elena era al corrente del complotto matrimoniale, perché il padre, principe Nicola Petrovič Njegoš, glielo aveva confidato: «Da tempo Umberto e Margherita hanno messo gli occhi su di te, mia piccola Jelena, dopo aver tentato con altre principesse europee. Non te ne avere a male. Io ti dico che hanno bisogno di sangue nuovo».

Così aveva detto suo padre. E sul vagone Elena ne sentì improvvisamente l'odore asprigno, come se le fosse accanto. Nicola Petrovič puzzava di selvaggina, emanava il sentore del pelo degli animali uccisi.

«Jelena», disse ancora il principe, come se volesse restare affacciato nella sua memoria, «se ci sai fare diventerai regina d'Italia, e io, grazie a te, potrei diventare re del Montenegro e magari allargare il mio reame.»

II

Elena aveva congedato la dama di corte e si era chiusa nella sua stanza. Il convoglio pencolava nelle curve, sferragliava anche se la sua andatura era molto ridotta. Non sarebbero arrivati a Sestri prima delle 7.45 del mattino. Vittorio Emanuele aveva ordinato di non imporre ritardi agli altri convogli per dare la precedenza al treno reale, e l'orario era stato cambiato decine di volte per non offrire riferimenti precisi a eventuali attentatori in agguato lungo la strada ferrata.

Ma, se di attentato si trattava, dovevano essere già pronti ad assalirli, questi delinquenti, magari travestiti da operai del cantiere navale di Sestri Ponente. La cittadina ligure era il luogo ideale per anarchici e robaccia del genere.

La cerimonia era stata rimandata più volte. La spiegazione ufficiale era il cattivo tempo. Ma era poi vera, questa storia che un po' di mare mosso impedisse un varo?

Chi progettava di ucciderli, lei o Vittorio o tutt'e due insieme, poco importava, doveva avere comunque la certezza che sarebbero stati presenti a quel maledetto varo. Tutti i giornali ne parlavano. Tutti ne erano esaltati, come se dovesse scendere in acqua una divinità.

Elena pensò alla locomotiva-staffetta che apriva la strada al treno reale. Ascoltò il rumore delle ruote sui binari. Regolare, metodico. La locomotiva staffetta sarebbe saltata per prima se ci fosse stato un ordigno sulle traversine.

Sul letto era già stato preparato l'abito che doveva indossare di lì a poche ore. Un mantello color grigio perla, un abito bianco a fiori e un cappello di paglia guarnito da un nastro, anch'esso grigio chiaro. Elena scelse un filo di perle in uno scrigno che aveva portato con sé. Si guardò nello specchio. Sembro proprio una napoletana, pensò. Bruna e formosa.

Napoli… Si sentiva veramente a casa sua solo nella reggia di Napoli e aveva imparato il dialetto della città come per immergersi in quei luoghi dove, le aveva raccontato una dama di compagnia di cui s'era sbarazzata, il giovane principe ereditario Vittorio Emanuele aveva collezionato numerose avventure femminili. Era accaduto quando comandava un reggimento. La perfida dama di compagnia le aveva riferito che il vivace colonnello Savoia, un colonnello giovane giovane, aveva addirittura avuto una figlia da una baronessa napoletana.

Una baronessa... Come si chiamava? Ah, sì, Maria, Maria Barracco.

Ma ora Vittorio era un marito fedele, fin troppo fedele. Monete antiche e nuove, fotografie, caccia, pesca, gli affari del regno e... quell'odioso Mussolini. Chissà perché l'Italia doveva diventare grande? I nani debbono restare nani. Vittorio Emanuele lo sapeva bene.

Elena sospirò.

Si fece avanti di nuovo in quella sua insonnia spaurita l'immagine di Umberto I. Lui sì che era un collezionista di donne. Aveva avuto un'amante ufficiale che, attraverso un sentiero del parco reale, da anni a lei riservato come una scorciatoia amorosa, era scivolata fino alla bara di zinco che conteneva il cadavere. Elena ricordava bene la scena, con il ghiaccio che gocciolava sul pavimento e quel certo odore... Sua suocera, la regina Margherita, aveva lanciato uno sguardo feroce all'amante del re assassinato, ma era indietreggiata di qualche passo come per distaccarsi dal peccato che quella donna incarnava. Era proprio una bigotta, sua suocera. Bigotta e per di più ammiratrice di Mussolini.

D'accordo... d'accordo... Vittorio Emanuele, che non amava il matrimonio e aveva fatto mille storie prima di accettare l'idea di sposarsi, le era stato sempre fedele.

Su questo metterei una mano sul fuoco, si disse Elena ancora una volta. Ma conta qualcosa la fedeltà di un marito per tenere in vita la fiamma o fiammella che sia di un rapporto? Oltre tutto Vittorio Emanuele era geloso... Geloso persino dei corazzieri, e ai tempi in cui una sua dama di corte, la contessa Trigona, era stata uccisa con un coltello da caccia dall'amante, che era un tenente di cavalleria in un alberghetto di Roma vicino alla stazione Termini, l'aveva sottoposta con voce petulante a un interrogatorio. Domande… domande… Chissà che cosa sospettava? Era il 1911. Allora aveva trentotto anni. Era bellissima.[1]

Elena sorrise e di scatto si alzò. Ebbe per un attimo la tentazione di guardarsi allo specchio come per ritrovare il suo fisico dell'epoca quando avvenne l'omicidio Trigona. Ma stai diventando matta, Jela, e si abbandonò sulla poltrona accanto al letto. Si tolse le scarpe e si massaggiò prima il piede destro, poi il sinistro, non aveva voglia di spogliarsi anche perché era certa che non avrebbe chiuso occhio.

Per quale motivo Vittorio Emanuele le aveva parlato di quella minaccia di attentati per il varo del… come avevano chiamato quella nave?

Ah, già *Rex*, tre lettere semplici e minacciose.

Re, come si diceva nell'antica Roma.

Un'ulteriore tentazione per chi stava nell'ombra a ordire disegni criminali.

III

Il treno reale si fermò in piena campagna con stridore di freni. Elena udì delle voci ed ebbe nuovamente paura. Aprì la porta della sua stanza, ma non vide nessuno, i corazzieri di guardia dovevano dormire e anche le sue dame di corte. Fuori le voci si avvicinarono. Ebbe il coraggio di aprire il finestrino. Scorse alcune luci che avanzavano verso il suo vagone che era il primo del convoglio.

Si schiarì la voce e gridò: «Cosa sta succedendo?»

Un corazziere della scorta rispose, ma la regina non capì.

Poi, la luce di una torcia le fece riconoscere l'aiutante di campo di Vittorio Emanuele, il generale Asinari di Bernezzo. Era sceso anche lui, brutto segno.

«Generale... generale...»

Il generale gridò: «Nulla, maestà, non preoccupatevi, si tratta solo di un controllo sulla strada ferrata. Il macchinista aveva visto delle ombre lungo i binari. Dovevano essere contadini...»

La regina rimase per qualche attimo a guardare, poi gridò buonanotte al corazziere che non aveva riconosciuto e al generale e richiuse il finestrino. Rabbrividì di nuovo. Contadini? È molto raro che i contadini vadano in piena notte sui binari.

E poi perché Mussolini aveva rinunciato al varo? La domanda si accese nel suo cervello come un segnale di allarme. Ricordò che Vittorio Emanuele le aveva detto che il capo del governo sarebbe andato a inaugurare un acquedotto.

«Non ti angosciare, Possi.»

Per lui era «Possi» nei momenti di grande affetto. Nei normali momenti d'intimità era solo «Nuccia».

Trovava strano che, nella stessa ora in cui era previsto il varo del transatlantico, Mussolini avesse deciso di essere lontano da Genova, da Sestri, dai cantieri dell'Ansaldo.

Elena si sforzò di ricordare il nome della città dell'acquedotto... Ravenna! Ecco, proprio Ravenna, una città che si affacciava sull'Adriatico, oltre il quale c'era il suo Montenegro, la capitale Cettigne con le sue duecento povere case.

Nonostante tutti quegli anni trascorsi in Italia, Elena continuava a pensare e a parlare in francese e a sentirsi estranea al Paese del quale era regina. A parte Napoli...

Era la regina slava, dicevano ai primi tempi del matrimonio, come se fosse una malattia. E per di più era stata educata in Russia, fin dall'età di dodici anni, nell'istituto Smol'nij[2] che era la scuola delle fanciulle privilegiate. Alla corte romana non potevano neanche immaginare cosa fosse Smol'nij, tutto un fruscio di seta e tanti sogni probiti.

Agitò una mano davanti agli occhi come per scacciare i ricordi di San Pietroburgo.

IV

Non si fidava di Mussolini e lui la detestava. Provava una sensazione sgradevole a ogni incontro. Inoltre, alcuni anni prima, d'estate, sorprese il suo sguardo sul suo corpo. Durò pochi attimi e lei, che pure amava gli sguardi degli uomini, ne fu disgustata.

E non si era mai piegata all'obbligo di fare il saluto romano. Una regina non può avere atteggiamenti teatrali e a suo avviso ridicoli. D'accordo, ne sapeva ben poco della storia dell'antica Roma. Ma i secoli erano passati ed era vano atteggiarsi a conquistatori, anche se gli italiani avevano tutta l'aria di crederci, si esaltavano, forse Mussolini li avrebbe veramente cambiati. I mandolini sarebbero scomparsi e sarebbero stati sostituiti dai fucili. Elena preferiva i mandolini.

Ogni occasione era un trampolino di lancio per l'immagine del fascismo. Anche il *Rex*, la grande nave che presto avrebbe solcato l'Atlantico, era una carta da giocare sul tavolo del prestigio internazionale.

Una volta una dama di corte l'aveva interrogata sulla sua riluttanza a fare il saluto romano. Con tutta la cautela possibile, certo. Per tutta risposta, lei aveva alzato le spalle, molto seccata. Una sera, alla fine di un pranzo, aveva salutato Mussolini con un ciao ciao frettoloso con la mano destra, e Vittorio Emanuele si era arrabbiato. Era inutile provocare il Duce.

V

Ebbe la tentazione di sdraiarsi sul letto. Tutta vestita. Magari il sonno sarebbe arrivato e avrebbe scacciato l'angoscia.

Che cosa le accadeva su quel treno che la portava a Sestri?

Da dove venivano tanti pensieri che parevano aggredirla come le cupe leggende della sua terra?

Alzò ancora una volta la mano all'altezza degli occhi per allontanare un'immagine affiorata improvvisamente in quel mistero che è il cervello umano. L'immagine di Vittorio Emanuele insanguinato. Indossava l'uniforme grigioverde, aveva gli occhi chiusi e una smorfia di dolore gli deformava la bocca, come doveva essere accaduto a suo padre Umberto.

Il re si mostrava più dolce, con lei, negli ultimi tempi; era pieno di attenzioni. L'aveva fotografata spesso, durante i giorni di San Dalmazzo. Pensò al giovane principe che tanti anni prima era apparso quasi infastidito quando si erano incontrati, per la seconda volta, all'incoronazione dello zar Nicola II.

Elena tentava di avvicinarlo senza alcun pudore, anzi con tutta l'audacia della sua giovane età, audacia rafforzata dai progetti che riponeva in lei suo padre Nicola. Una riluttanza che le fu difficile superare anche durante la luna di miele che si concluse nell'isola di Montecristo, dove c'era un padiglione di caccia e dove andavano a pesca e a caccia insieme. Le coste erano molto aspre e sorvegliate dalla polizia. Erano come naufraghi innamorati, non c'era anima viva, arrivavano le provviste all'alba senza che nessuno si manifestasse, e fino al giorno dopo c'erano soltanto Elena e Vittorio, Vittorio ed Elena, come incollati l'uno all'altra, le lunghe passeggiate sui dirupi, il sapore del mare, il vento che piegava quei pochi alberi piantati di recente.

Elena lavorava da muratore per rimettere in sesto il padiglione che era sfregiato da mille crepe. A sera preparava per Vittorio piatti a base di cipolle e di marmellata di castagne.

E a dir la verità il menu era cambiato molto poco a Villa Savoia, che un tempo si chiamava Villa Ada e si trovava sulla Salaria. Vittorio Emanuele preferiva abitare tra quelle mura più semplici piuttosto che tra gli stucchi del Quirinale. È un palazzo, le aveva detto una volta, che sa di prete.

Durante la luna di miele Vittorio Emanuele aveva ventisette anni e da tempo si considerava un nano. Un giorno, durante un ricevimento a San Pietroburgo, le aveva detto: «*Vous voyez, princesse, je ne mesure qu'un mètre cinquante trois*».

Lei era alta un metro e settantacinque.

Il principe italiano si vergognava delle sue gambe corte e fragili e le aveva confessato, a pochi giorni dal matrimonio, che durante l'infanzia i suoi piedi erano stati chiusi per anni in calzature ortopediche.

Parlava poco, talora con tono aspro e protendendo il mento. Era brutto, proprio brutto, non era il principe che Elena aveva sognato, come accade a tutte le ragazze di nobile famiglia e specie a lei, venuta dal Montenegro, che aveva vissuto nel fasto della corte degli zar, circondata da uomini in splendide uniformi, giovani, belli, slanciati e spacconi. Ma nessuno di loro le aveva offerto un trono.

La luna di miele aveva avuto inizio in una villa di Boboli. Quando lo vide in camicia da notte, così squallido e così triste d'essere squallido, Elena gli volle bene per la prima volta.

Tutto il ridicolo dell'ometto rachitico in camicia da notte le fece nascere a Boboli, e poi nell'isola di Montecristo, una sorta di nausea per il ricordo di Carl Gustav. E sì che la giovanissima Jelena aveva adorato il barone Carl Gustav von Mannerheim, il suo primo amore dei giorni di San Pietroburgo.

Adesso, su quel treno che andava verso la riviera ligure, Carl Gustav, come se volesse vendicarsi d'essere stato soppiantato dalla grottesca figura di Vittorio Emanuele, comparve quasi brutalmente nell'infocata e agitata memoria della regina d'Italia.

Fu una passione che fece correre un brutto rischio a Elena. E non furono in molti a conoscerne i risvolti, anche se lo zar fu sul punto d'intervenire ai primi sintomi.

Il barone Carl Gustav von Mannerheim discendeva da un'antica famiglia svedese emigrata in Finlandia. Quando la Jelena dai lunghi capelli neri lo conobbe era un ufficiale della Guardia e possedeva un palazzo che dava sulla Neva. Le dame di corte cadevano a una a una nelle sue mani e poi, se erano fortunate, nel suo letto. Carl Gustav non aveva neanche bisogno di far loro la corte. Era alto, bruno, impetuoso. Incarnava quanto di meglio ci fosse per un sogno romantico di quei tempi.

C'era un passaggio segreto su una fiancata del suo palazzo e ogni bella donna lo percorreva con il batticuore. Sarò degna di Carl Gustav? Lo splendido barone del Baltico era imprevedibile. Poteva anche scacciarla perché poche ore prima s'era incapricciato di un'altra.

E un giorno anche Jelena varcò la porta del palazzo sulla Neva.

Un altro nobile s'era infatuato di lei: il principe serbo Arsenio Karageorgevič. Fra Arsenio e Carl Gustav volarono parole dure e tempestose. Fecero una scenata in pubblico e la corte dello zar al completo rimase con il fiato sospeso. Il principe sfidò il barone, e l'indomani lo ferì in duello.

Jelena dovette fare un grande sforzo per convincere parenti e amici che la storia d'amore s'era dissolta. Come un sogno? Nessuno lo seppe mai. La vicenda fu soffocata da tante premure diplomatiche.

In seguito la regina d'Italia apprese che il barone aveva partecipato alla guerra russo-giapponese e poi aveva viaggiato in Asia. Come generale di Nicola II, Carl Gustav comandò un reggimento e durante la rivoluzione si batté contro i bolscevichi. Al suo ritorno in Finlandia divenne presidente, ma in seguito fu costretto ad abbandonare l'incarico. Era comunque diventato un eroe e se l'avesse sposato, Elena avrebbe potuto viaggiare in tutto il mondo, magari su quel transatlantico che doveva essere varato a Sestri. Inoltre non sarebbe stata infastidita dal fascismo e dai suoi ideali senza speranza. Le dispiacque pensare che gli italiani, soprattutto i suoi napoletani, fossero accecati da un tale miraggio.

* * *

La locomotiva del treno reale lanciò un fischio come una locomotiva normale e si fermò al semaforo rosso. Sempre trepidante, Elena andò ad aprire il finestrino. La luce della sua stanza inquadrò un giovane corazziere che le sorrise e s'inchinò. «Tutto tranquillo, maestà.»

Ogni volta che pensava ai suoi doveri di regina d'Italia automaticamente le veniva davanti agli occhi l'immagine che compariva nelle scuole e negli edifici pubblici: era vestita di raso, il boa bianco sulle spalle, la testa ornata da un diadema di diamanti e rubini.

Per chi progettava di ucciderla era almeno un bersaglio elegante, pensò. Però non se la sentiva di rischiare la vita per il *Rex*, una «cosa» di Mussolini.

Note

1. Nel 1914 Vittorio Emanuele cadde in una profonda depressione. Si parlò addirittura di un tentativo di suicidio e di cure neuropsichiatriche. Sulla coppia reale turbinava la maldicenza. Si diceva che il re fosse geloso di Elena perché aveva mostrato simpatie per qualcuno, forse un corazziere. Ecco perché Vittorio Emanuele la teneva segregata a San Rossore.

2. Le ragazze Petrovič Njegoš vivevano alla corte dei Romanoff come a casa loro. Il palazzo riecheggiava delle loro grida. Elena entrò allo Smol'nij a dodici anni. Lo zar Alessandro III, che era stato suo padrino, fu sempre legato al Montenegro.

2

E Dio creò la balena

Genesi

I

GENOVA si svegliò alle luci dell'alba. Era il primo agosto 1931. Non fu tanto l'ordine impartito dal partito fascista a far saltare dal letto giovani e anziani, quanto l'immagine del *Rex*. Da mesi il gigante rossastro, con la sua prua affilata, si ergeva nello scalo del Bersagliere di Sestri Ponente. Il colore era dovuto al minio che veniva usato per combattere la ruggine da cui erano minacciate le lamiere.

Come protetto da cinque altissime e scheletriche gru, che svettavano ai suoi lati, la nave in costruzione attirava gli sguardi di tutti i cittadini, anche di quelli che non rientravano nella categoria della gente di mare. C'erano alcuni dati apparsi sul *Secolo XIX* che impressionavano, come per esempio il totale dei chiodi usati: oltre 3 milioni, che sarebbero raddoppiati quando il transatlantico avrebbe tirato su le ancore per il viaggio inaugurale.

I marinai tentavano di raffigurarsi quei chiodi, uno accanto all'altro, anzi uno dopo l'altro, e si perdevano in mille fantasticherie.

Fin dai giorni in cui il *Rex* aveva assunto una dimensione colossale, oscurando il cielo agli abitanti delle case situate ai suoi lati, i genovesi vivevano una misteriosa convivenza. Dai cantieri dell'Ansaldo non era mai stata varata una nave così imponente e le 51.000 tonnellate programmate nei progetti sembravano inimmaginabili. Quando c'era il mare grosso e il suo fiato salato saliva verso le colline di Granarolo, a ponente, e del Righi, a levante, e s'infilava tra muri e rovine dei forti di Sperone, Santa Tecla e Diamante, allora si diceva che fosse il *Rex* a sbuffare. Aveva fretta di andare per mare.

II

Chi aveva letto certi libri esoterici ed era seduto al tradizionale *Caffè Roma* della Galleria Mazzini resuscitava leggende e cronache di altri tempi. Invece, al *Caffè Venchi* di piazza Fontane Marose, ritrovo di alcuni antifascisti della categoria bisbigliante, come si diceva allora, c'era sempre qualcuno che, parlando del *Rex*, faceva riaffiorare alla memoria il Leviatano, mostro mitologico a forma di rettile e immagine corrente delle dittature.

«Quella nave farà il gioco di Mussolini. Il *Rex* rappresenta la sua vendetta contro tedeschi e inglesi, ma gli inglesi, vedrai, un giorno gliela faranno pagare, al *Rex*...» disse più o meno così un architetto di Sampierdarena [A.R.].

«Ma l'Italia intanto conquista i mari, dirà lui, mentre il mondo è oscurato dalla crisi economica. Mussolini non vuole che il crollo della borsa di Wall Street del '29 spenga il suono della fanfara fascista. L'Italia è assordata dalla propaganda, non dà peso o ignora ciò che accade fuori dei suoi confini», osservò un maestro delle elementari di Carignano non meglio identificato dai militi che andavano a turno nel caffè per spiare e riferire.

«E soprattutto l'Italia ignora che i nostri contadini continuano a morire di fame e a restare analfabeti e che gli operai qualificati si ammazzano di lavoro per 24 lire al giorno!»

«E senza un'altra nave da costruire, poche ore dopo il varo sono tutti licenziati. Il tragico è che contadini e operai dimenticano che muoiono di fame e si ammazzano di lavoro non appena vedono Mussolini. Gridano: Miracolo! Cantano *Giovinezza*, e quella canzonetta trascina via tutto con sé», riprese l'architetto di Sampierdarena [A.R.].

«Che Dio mi perdoni, ma io ho una brutta opinione degli italiani. Mi sembrano entità vuote, involucri vuoti come bottiglie vuote... Anzi, sai che ti dico? Sono come le spugne: assorbono e, se strizzate, rigettano tutto. Non saranno mai un popolo. Ricordate: c'è la disfatta di Caporetto nel 1917 e gli italiani assorbono e si riempiono di rivincita, arriva Mussolini e loro s'imbevono delle chimere create da quel tribuno. Sì, italiani proprio come spugne, pericolosi come spugne. Il fascismo ha saputo persuadere gli italiani di non avere altra scelta che il fascismo», osservò un professore di liceo [T.U.].

«Il *Rex* meriterebbe proprio una bomba», sussurrò un fuoriuscito [S.P.] che era venuto da Parigi con mille precauzioni, passando dai valichi di alta montagna, perché aveva la madre in pericolo di vita.

Stranamente, S.P. non fu arrestato. Forse era più utile in Francia che nelle prigioni italiane. Questi dialoghi, più tardi riassunti in veline anonime, restarono in gran parte nella sede della Milizia, alcune trascrizioni arrivarono all'ufficio politico e di lì rimbalzarono anche a Roma.

Come mai erano così ingenui gli avventori del caffè di piazza Fontane Marose? Bastava guardarsi intorno per cogliere scintille di curiosità in certi sguardi vanamente protetti dal *Secolo XIX* spalancato. Il comando della Milizia, ma soprattutto il questore Murino avevano ricevuto ordini precisi da Roma: gli antifascisti pericolosi, specie gli anarchici, dovevano essere trascinati in carcere per qualche giorno. Del resto erano abituati a queste parentesi dietro le sbarre. Era noto che a Ravenna doveva avvenire un'identica retata per la cerimonia dell'inaugurazione di un acquedotto alla presenza di Mussolini. Da anni la piccola e sempre più ristretta Italia di sovversivi e antifascisti conosceva alte e basse maree di repressione. Ma per gli antifascisti bisbiglianti di Genova era stata predisposta una tattica attendista: le loro chiacchierate spesso potevano fornire alcuni indizi. Lasciateli parlare, aveva ordinato Roma.

Nessuno se ne accorgeva, né al *Caffè Venchi*, né al *Caffè Roma* e tantomeno nei mille carruggi traboccanti di vita, ma le autorità erano in stato di grande allarme. Tirava una brutta aria in questura. Neanche il senatore Broccardi, podestà di Genova, riusciva ad addormentarsi nei giorni che precedettero il varo. Murino e Broccardi e i loro funzionari più alti in grado sapevano che il re era terrorizzato dalla folla perché da quel nulla brulicante poteva spuntare la mano che impugnava una pistola.

Così il questore aveva trascorso le notti in bianco discutendo e facendo piani con i collaboratori. Ogni informazione veniva valutata e filtrata e gli agenti dell'ufficio politico

18

andavano a controllare sul terreno; bussavano alle porte delle persone schedate prima che facesse giorno, si rivolgevano agli informatori e, dato che abbondavano come le piante maligne, a solerti delatori. Erano tempi propizi, quelli, per le lettere anonime e per le soffiate.

La vernice al minio del *Rex*, al tramonto, sembrava fiammeggiare, e i genovesi vi scorgevano un presagio. La maggior parte riteneva che fosse un segno di trionfo e di successo espresso per vie misteriose dal transatlantico che apparteneva alla Navigazione Generale Italiana e veniva costruito, con una cura maniacale, dall'Ansaldo.

Altri v'intravedevano, al contrario, funesti segnali. Qualche vecchio marinaio particolarmente pessimista presentiva sciagure, qualcosa di simile al varo del transatlantico *Principessa Jolanda* che, il 22 settembre 1907, scese in mare dallo scalo del cantiere di Riva Trigoso e, a causa di un difetto di costruzione o di un'errata distribuzione dei pesi, si piegò in pochi istanti sul fianco sinistro. Sembrava che tutto fosse stato calcolato, come per il *Rex*, tranne il fatto che l'acqua potesse irrompere nei boccaporti lasciati aperti.

C'era poi la minaccia di un attentato o di un sabotaggio, come avvenne a Livorno con l'incrociatore *Trento* il 4 settembre del 1927, quando mani sovversive avevano mischiato sabbia ai pani di sego bloccando la nave sullo scivolo dopo una cinquantina di metri.

Agli occhi delle autorità fasciste il rischio di un fallimento del varo appariva ancora più terribile. Un attentatore può sfuggire alla sorveglianza della polizia e un ordigno può distruggere una parte dell'invasatura. Sono fatti che possono accadere, la polizia non è infallibile e le maglie più strette lasciano sfuggire un fattore imprevisto. In questo caso nessuno all'estero si sarebbe sognato di accusare d'inettitudine il regime.

Ma un errore di progettazione o, ancora peggio, un'imprecisione nel delicato succedersi delle fasi del varo, avrebbero messo in evidenza, ancora una volta, l'incapacità tecnologica degli italiani, colpendo duramente l'immagine del fascismo.

Quindici ingegneri, arrivati dall'Inghilterra, avrebbero seguito i momenti del varo e avrebbero riferito all'ammiragliato. Altrettanti esperti erano piombati dalla Germania. Nei giorni precedenti non avevano perso neanche un momento dei preparativi, e quel giorno sarebbero stati ai loro posti sperando in un insuccesso, perché il *Rex* e il *Conte di Savoia*, in costruzione a Trieste, minacciavano la supremazia britannica, e specialmente quella tedesca nel traffico passeggeri. In realtà da mesi agenti dei servizi segreti del cancelliere Hindenburg e di Giorgio V avevano tentato di infiltrarsi tra gli ingegneri dei cantieri Ansaldo. La società armatrice ne era al corrente, ma si sentiva sicura del fatto suo e della fedeltà dei suoi uomini. «Che vengano, che vengano a spiarci», aveva detto il generale Ugo Cavallero, presidente dell'Ansaldo. E l'ingegner Augusto Piazzai, direttore del cantiere, aveva aggiunto: «Dalla pancia del *Rex* salteranno fuori delle belle sorprese per tedeschi e inglesi!»

III

Il primo agosto era ancora buio quando le strade di Genova avevano iniziato ad animarsi. Nessuno sapeva che una bomba era scoppiata sotto i portici dove si trovava l'albergo *Colombia*, a due passi dalla stazione Principe. All'una e quaranta di notte, davanti alla sede della Società Transatlantica, un attentatore era riuscito nel suo intento. Le case vicine tremarono e molti vetri si ruppero. Le persone rimasero per un po' alla finestra, poi alla vista di polizia e pompieri chiusero le imposte e tornarono a letto.

E se anche si fosse saputo che c'era stato questo attentato e che si temeva per la vita dei sovrani, nulla avrebbe impedito ai genovesi di festeggiare il varo del *Rex*.

I tram si riempirono subito e le persone penzolavano dagli ingressi. I ragazzini in divisa da balilla erano aggrappati ai respingenti. Dall'alto delle colline, in alcuni tratti propizi, si vedeva la massa oscura del transatlantico.

Di tanto in tanto, laggiù, saettavano le vampate delle fiamme ossidriche e le rare folate di vento portavano suoni di congegni e voci umane. Alcune grandi lampade gettavano fasci di luce su operai e carpentieri che si affannavano sui ponti del *Rex* a controllare e mettere a punto ogni dettaglio del varo. Erano in maniche di camicia o in tuta, musi neri di sole e di unto, berretti e baschi di sghimbescio, mani più callo che carne.

Erano in duecento. Alcuni gruppi terminavano i ritocchi alla carena e ai fianchi con pennellate di vernice. Gli uomini oscillavano sulle tavole appese a lunghe corde collegate a carrucole. Altri sgombravano il terreno che fiancheggiava lo scafo e altri ancora davano una mano ai pompieri per collocare gli idranti. C'era chi saliva su esili scale che partivano dal basso e arrivavano pericolosamente fino alle murate lungo le quali erano disposti drappi con i colori della bandiera italiana. L'altezza al ponte B era di 18,50 metri, più o meno come un palazzo di sei piani.

A metà chiglia era stato appeso un fascio littorio alto una ventina di metri, e a prua era stato sistemato uno stemma sabaudo di cartone. Una squadra stava finendo di aggiungere il sego nella parte scoperta dell'avanscalo e ricopriva con un grande telo tutto il tratto che sarebbe stato esposto di lì a poco ai raggi del sole. Il lubrificante non doveva liquefarsi.

Lo scafo era montato parzialmente fino al ponte A, a prua, e fino al ponte B, a poppa. Dovevano scendere in acqua 13.400 tonnellate di acciaio e legno.

Non c'era un alito di vento verso le sei. Il Mar Ligure tratteneva il respiro, era liscio come una tavola color piombo, il termometro segnava già ventun gradi e grosse nubi erano immobili sullo sfondo, come appese sopra l'orizzonte.

Le automobili cominciarono a sfilare veloci e regolari una dietro l'altra, a piazza De Ferrari, in via Milano e a Corso Francia. La gente spesso scendeva dai marciapiedi e invadeva l'asfalto e i clacson la richiamavano all'ordine. Era gente di tutte le categorie sociali e ansiosa di assistere all'avvenimento.

Era il più grande transatlantico italiano. Da mesi ne seguivano la crescita. Avrebbe sfidato le navi inglesi, francesi e tedesche. Era il *Rex*, era il re dei mari. Era stato costruito da mani genovesi, una lamiera dopo l'altra, un chiodo dopo l'altro. Era costato sudore e vite umane.

Ma delle perdite subite tra gli operai dell'Ansaldo durante i lavori i genovesi che scendevano verso Sestri non sapevano nulla. Solo i famigliari soffrivano in silenzio sperando in un sussidio. Il Duce era generoso con le vittime del dovere.

Nessuno avrebbe osato rivelare che la costruzione del transatlantico aveva causato decine di feriti e persino qualche morto. Quanti? A quei tempi i rischi per un operaio, che si teneva in bilico sulle strutture di una nave in costruzione, erano infiniti. E non solo dovuti alla pioggia, al vento, a una putrella resa scivolosa dal grasso, a una corda che non reggeva, ma anche allo stato di salute: si andava in fabbrica o al cantiere con l'influenza, con la bronchite, dopo un'indigestione domenicale o una sbronza. Se la testa girava, bisognava chiedere aiuto al compagno che ti era vicino oppure pregare la Madonna. Erano operai che consideravano il lavoro un dono di Dio e, in sottordine, di Mussolini. Ma capitava che Mussolini, nella graduatoria, precedesse Dio.

IV

Doveva essere dunque un giorno di festa per la Superba, com'era chiamata Genova da tempi lontani. Un giorno di orgoglio, termine che piaceva di più al regime fascista. E la gente rideva, si scambiava richiami da un marciapiede all'altro, aveva messo il vestito buono, le pagliette che si scorgevano qua e là davano un senso di allegria accentuato dai vestiti a fiori delle donne, dalle loro scollature, dalle gambe abbronzate. Il fascismo era buono e i balilla e persino gli uomini della Milizia ottenevano sorrisi e pacche sulle spalle.

La strada che conduceva a Sestri Ponente era invasa da una triplice fila di automobili che procedevano lentamente e spesso si arrestavano con brusche frenate. Non si trovavano più taxi, ma chi voleva assistere al varo non esitava a fare chilometri e chilometri a piedi. Le mamme con i bambini tra le braccia parevano non sentire la fatica; i piccoli erano ancora assonnati e con gli occhi socchiusi contro il sole del mattino.

M.P., cronista del *Secolo XIX*, annotava sul suo taccuino: «È come vivere una migrazione verso un luogo di fede. Il *Rex* è un'opera nostra, nostra, nostra. Un'opera che dirà a tutti la forza di queste nostre braccia d'Italia che conquistarono il mondo e lo riconquisteranno. Dirà la potenza di questo genio che sempre ha dominato nei secoli anche quando il corpo era schiavo e che dominerà ancora, sempre, nei secoli dei secoli».

Nessuno rise delle frasi scritte da M.P., perché era lo stile del regime e dei suoi giornalisti. Il pane quotidiano aveva questo sapore. E chi osa ridere del pane? Tutti ormai avevano appreso lo stile fascista o se lo vedevano imporre, e non si ribellavano. Ogni frase doveva essere condita dal sugo mussoliniano come la Santa Messa dal latino. Un sugo che piaceva agli italiani.

Era diventato anche un modo di vedere le cose, di sentirle, di ricordarle; persino nei sogni si rivivevano talora scene e sensazioni fasciste. Andare al varo del *Rex* non era un fatto privo di senso. Era nell'aria del tempo, nel clima spirituale. Solo il *Rex* era diverso, estraneo a questa cornice. Ma, come tante altre cose, gli italiani, e in particolare i genovesi dell'estate del 1931, non potevano saperlo.

A Sestri ogni finestra e ogni balcone sfoggiava una bandiera tricolore. Centinaia di imbarcazioni si dirigevano verso la costa. Arrivarono motoscafi e barche a vela da tutte le spiagge della Riviera. Al largo erano ancorate, con il gran pavese, alcune navi militari. Erano sagome grigie, eleganti, quelle degli esploratori *Antonio da Noli*, *Leone Pancaldo*, *Antoniotto Usodimare* ed *Emanuele Pessagno*, nomi di vecchie glorie genovesi.

Alle sette le alture circostanti erano ricoperte di folla. E c'erano uomini e donne che erano saliti sui tetti delle case e degli stabilimenti. I ragazzini sventolavano freneticamente bandierine tricolori come se il varo del *Rex* fosse una questione di istanti. I volti luccicavano di eccitazione e sudore. Il termometro era già salito a 25 gradi.

Preceduto dalla locomotiva-staffetta, il treno reale entrò lentamente nel cantiere dell'Ansaldo alle 7.45. Elena e Vittorio Emanuele erano affacciati al finestrino. La regina era pallida, si proteggeva gli occhi come se i raggi del sole la ferissero. Vittorio Emanuele aveva un sorriso forzato, come sempre. Il sovrano lanciò un'occhiata alla mole del *Rex* che sovrastava il treno.

Sotto i baffi fece una smorfia che nessuno, tra i pochi che la videro, ebbe la possibilità d'interpretare. Eppure si sapeva che il re aveva viaggiato in lungo e in largo per i mari del Sud e del Nord e s'era spinto fin sotto il Polo. Aveva con sé la giovane Elena, che a quei tempi amava andare a caccia di foche. Stranamente l'urlo delle bestie ferite non la inteneriva, lei che aveva un cuore così romantico.

Senza neanche aver visto i sovrani, le centocinquantamila persone presenti cominciarono a gridare gli evviva.

Un'acclamazione che partì dalle tribune e velocemente si diffuse sulle colline come una ventata su un campo di grano: «Viva il Re!», «Viva la Regina!», «Viva i Savoia!» E anche: «Viva il Duce!»

Mussolini era a Ravenna, in quel momento; la cerimonia dell'acquedotto era stata programmata nello stesso giorno del varo per impedire che il re fosse interamente padrone della scena italiana. Ma da tempo Mussolini era diventato onnipresente nell'immaginario popolare. Gridare «Viva il Duce!» era diventato automatico per la stragrande maggioranza degli italiani. Che il Duce ci fosse in carne e ossa oppure no, lo si capiva dal grado di esultanza che accompagnava quel grido.

V

Un tappeto rosso arrivava fino al palco reale. I sovrani cominciarono a percorrerlo, mentre la banda del 43° fanteria concludeva la marcia reale. La regina precedeva il consorte di qualche passo; le esili gambette di lui, che erano chiuse negli stivali militari, marciavano qualche metro indietro. Questo era solo uno dei modi che erano stati escogitati per evitare, nei limiti del possibile, di mettere in evidenza la differenza di statura fra i due. Ma il pennacchio che svettava sul copricapo del re, invece di dare l'impressione che fosse più alto, lo rimpiccioliva maggiormente.

Lontano nel mare di Sestri tuonarono i cannoni delle navi militari spezzando il ritmo delle acclamazioni che scendevano anche dall'alto del *Rex* assieme ai berretti degli operai lanciati in segno di gioia. Il podestà Broccardi accolse la coppia reale. Elena distribuiva cenni del capo a tutti, folla e autorità. Sorrise con ironia vedendo le splendide toilettes parigine delle dame di corte e la marchesa Pallavicini Scotti, la marchesa Negrotto Giustiniani, la marchesa Centurione Lavaggi cominciarono a cinguettarle intorno. La regina, se avesse potuto, si sarebbe cucita gli abiti da sola. C'è chi giurava che lo facesse davvero, di tanto in tanto, assieme alle sartine del rione in cui sorgeva Villa Savoia.

Ma storse la bella bocca quando vide qualche personaggio del seguito in camicia nera. Subito mormorò qualcosa al re come si vide chiaramente, qualche giorno dopo, in un *Giornale Luce*: Vittorio Emanuele alzò le spalle. Fatalismo. E il gesto fu colto dai ministri del Duce che erano presenti, l'ammiraglio Sirianni per la Marina, Ciano di Cortellazzo per le Comunicazioni e l'onorevole di Crollalanza per i Lavori pubblici. Dovettero pensare che il sovrano fosse ormai rassegnato al ruolo di rappresentanza concessogli da Mussolini.

Il presidente della Navigazione Generale Italiana, senatore Rolandi Ricci, e il generale Ugo Cavallero, presidente dell'Ansaldo, erano scuri in volto, le labbra contratte, gli sguardi sospettosi. Si sforzavano di sorridere ogni volta che una persona rivolgeva loro la parola. Sentivano che poteva accadere tutto e il peggio di tutto, e non si fidavano delle misure di sicurezza disposte dal questore Murino. E poi un varo è sempre un'incognita. L'incubo del sabotaggio, anche se gli operai erano stati scelti a uno a uno, non li abbandonava.

Il corteo passò sotto le case di via Capitano del Popolo oscurate dalla massa ferrigna del *Rex*. Era così alto e così barbaro con quella tintura rossa, che nessuno riusciva ad apprezzare le linee armoniose dello scafo, con una prua che sembrava disegnata da Leonardo da Vinci. Anche i volti degli operai che si trovavano sotto la chiglia per azionare i meccanismi negli istanti del varo apparivano tesi e preoccupati.

Il palco era coperto da una tenda di damasco e ai quattro lati c'erano dei vasi con oleandri in fiore. Anche le poltrone erano di damasco. Il re e la regina continuarono a rivolgere alla folla sempre più eccitata distratti saluti con le mani e segni di compiacimento con il capo. Elena stringeva un fazzolettino nella mano sinistra, come se quel piccolo pezzo di stoffa, che aveva fatto parte del suo corredo tanti anni prima, potesse allontanare tutti i suoi neri presentimenti, i suoi rancori, l'insofferenza per tutta quella gente che la circondava. Alzò più volte lo sguardo verso la nave di cui era la madrina e le apparve come la sola cosa dignitosa.

Il cardinale Dalmazio Minoretti, arcivescovo di Genova, si avvicinò ai sovrani. Abbassò elegantemente la testa davanti al re e poi, con un inchino, baciò la mano alla regina che si era tolta un guanto. Elena ne ebbe una reazione di sorpresa e di fastidio. Si strofinò la mano con il fazzolettino, che poi nascose nella manica del vestito e non toccò più.

La cerimonia non doveva durare più di mezz'ora, ma i minuti sotto il *Rex*, che pareva non veder l'ora di liberarsi dei congegni che lo serravano all'invasatura, si susseguivano con una lentezza angosciosa, come se il tempo, invenzione umana, intendesse riprendersi i suoi diritti dilatando secondi e minuti secondo i propri capricci.

Dopo aver indossato i paramenti, il cardinale lesse le formule rituali del battesimo di una nave davanti al piccolo altare eretto sul palco. Gli altoparlanti avevano invitato la folla al silenzio, ma l'aria estiva di quel mattino era percorsa dal brusio che prelude ai grandi avvenimenti.

Alle 7.50 i martinetti idraulici, ciascuno dei quali poteva sviluppare una forza pari a 550 tonnellate, si apprestavano a entrare in azione. Vennero tolti a uno a uno gli ultimi tronchi di pino e caddero le cataste e gli ancoraggi che trattenevano nell'invasatura la nave numero 296, com'era ufficialmente classificato il *Rex* nel registro di Genova. Alcuni idrovolanti militari scesero a bassa quota e la gente non li guardò nemmeno, affascinata com'era dal transatlantico rosso che stava per essere liberato e che sarebbe scivolato baldanzoso verso il mare.

Gli artiglieri delle navi militari erano ai loro pezzi per sparare le salve di saluto. Le barche e i battelli ondeggiavano formando un semicerchio a debita distanza. Con le eliche che ruotavano lentamente, i quattro rimorchiatori sembravano immobili come grossi gabbiani scuri.

Il grasso sulla slitta luccicava. E c'era tanta paura.

Erano le 7.55 quando il generale Ugo Cavallero, dopo aver chiesto l'autorizzazione del re, pregò Elena, la madrina, di premere un tasto elettrico per sganciare la bottiglia di spumante Gancia Riserva Reale riempita di piombo sul fondo per aumentarne il peso ed emettere un suono più forte.

La regina avanzò di qualche passo. Tremava. Mille pensieri l'assalirono. Uno molto ingenuo: e se il varo fallisse, gli italiani, superstiziosi come sono, potrebbero dire che porto sfortuna.

Poi, con un gesto brusco, si tolse il guanto grigio perla e

premette il tasto. Vittorio Emanuele le rivolse un breve sguardo, per alzare subito dopo la testa verso il *Rex*.

La bottiglia di spumante, legata con un nastro azzurro all'estremità di un'antenna, esitò, scese e s'infranse contro la prua della nave lasciando colare una piccola scia di schiuma. Il silenzio era così totale che si udì il suono del vetro infranto.

La folla applaudì e gridò, poi subito si riavvolse nel silenzio. Passarono pochi secondi, pesanti come le tonnellate del *Rex*, e Ugo Cavallero ordinò al direttore del cantiere, Augusto Piazzai, che si trovava sulla tolda del transatlantico, di procedere al varo.

«Vai, vai!» urlò la folla.

E tornò silenziosa. Gli sguardi erano rivolti verso l'immensa ombra rossastra che in controluce faceva più paura.

Ma il *Rex* non vinse l'attrito, lo scafo non si mosse. Quei pochi istanti terrorizzarono la gente. Sul palco reale nessuno osava pronunciare una parola, e nel cervello di Vittorio Emanuele, e non solo nel suo, balenò l'idea di un sabotaggio. In alto, tra gli operai e i carpentieri, Augusto Piazzai sudava. Non si muove, si disse, ma trattenne un'imprecazione. Poi, per uno di quegli atroci scherzi del cervello, in una frazione di secondo si ricordò del transatlantico *Roma* che, nel 1926, dopo discorsi e battesimo, era restato come incollato allo scalo dell'Ansaldo perché il sego si era indurito.

La mia carriera può finire qui, si disse ancora Piazzai. E, da onest'uomo qual era, gli balenò la risorsa del suicidio.

3

Scappiamo, scappiamo! Mi pigli il diavolo, se questo non è il Leviatan descritto dal nobile profeta Mosè nella vita di Giobbe il paziente.

RABELAIS, *Gargantua e Pantagruel*

I

ANCH'io ebbi paura che quel varo andasse storto. Il silenzio della folla era come un sudario e provai un diluvio di sensazioni là sotto... sì, proprio sotto il *Rex*. Tante sensazioni da diventare matto.

Mi chiamo Mario Magonio, operaio specializzato, e al momento del varo ho avuto due minuti, solo due minuti (e chi mi dice che fossero due minuti?), per rivedere il mio passato. Li abbiamo calcolati più tardi, tutti insieme coi miei compagni. Due minuti... Bah! Proprio come se stessi per morire. Dicono che tutta la vita ti scorre davanti e non hai il tempo di fermarne le sequenze. E in quei due minuti, provai anche il tremendo splendore del pericolo.

Forse il tempo non era calcolabile o si era in qualche modo dileguato. Capita, ma non so nulla in proposito, né potevo saper nulla, quella mattina del primo agosto 1931.

E tutto avvenne quando il *Rex* doveva passare su di me e sui miei undici compagni. E per un po', per un'eternità, rimase come esitante, bloccato. Montagna d'acciaio, gloria

31

del mio e del nostro lavoro di operai. Eravamo coricati sotto la sua chiglia, lungo lo scivolo, tutta l'enorme e buia pancia del *Rex* era a un metro dalle nostre teste, immobile sopra di noi che avevamo il volto unto di grasso su cui scintillavano le gocce di sudore. E da quella pancia veniva un odore di ferro e salmastro.

Le nostre lucenti gocce di sudore... Erano gli smeraldi degli operai, diceva il Bertuletta che era piccolino e in realtà si chiamava Bertula. Chi ricordo ancora dei miei compagni? C'era ü Prain perché veniva da Pra, c'era ü Picchettin, c'era ü Corason e io ero Marietto o il Negrin, perché avevo i capelli molto neri. Non ho dimenticato tutti gli altri, ho dimenticato solo i nomi, è faticoso metterli sui volti, ma forse mi riverranno a mano a mano. Tutti i compagni di quel giorno m'affollano il cuore. Il mio vecchissimo cuore.

Io, Marietto, io il Negrin, io Mario Magonio ho partecipato alla costruzione del *Rex* e avevo solo vent'anni. Ero entrato nell'Ansaldo quando avevano appena messo la prima lamiera. E ora il *Rex* stava per passarmi sopra... Ehi, ve lo giuro: più di 13.000 tonnellate! Per me il *Rex* era come Dio o perlomeno in quegli istanti lo confondevo con Dio.

II

Sono venuto al mondo il 16 dicembre 1909. I miei genitori non sono neanche dei ricordi, come dire che non li ho conosciuti. Mio padre, Giovanni Magonio, è morto mentre andava all'attacco con il moschetto 91 e la baionetta in canna assieme a tanta povera gente in grigioverde. È stato fulminato a Pangrande sul Piave. È morto per la Patria che si deve scrivere, come m'hanno insegnato, con la P maiuscola, sennò diventa come la p di puttana.

Prima di morire in guerra il mio papà lavava i piatti, e poi, diventato un bravo cuoco, si era imbarcato e se n'era andato in giro per il mondo. Povero papà, non ha avuto neanche il tempo di darci il suo affetto!

Ci ha lasciati soli, mia mamma Gemma, mia sorella Italia e io. Non ricordo nulla della mamma; chi l'aveva conosciuta diceva che era bellissima, che assomigliava alla regina Elena. Per me doveva essere più bella della regina perché non doveva portare quei grandi cappelli che le avrebbero nascosto le chiome d'oro.

Ha avuto una vita movimentata, la mia mamma, e non mi è stata mai accanto. È stata la nonna, la madre della mia mamma, che era slava, ad allevarmi. E poi, come orfano di guerra, sono passato da un istituto all'altro.

Rammento che mia nonna era una cartomante e che faceva parlare i morti, e che io, piccolo com'ero, l'aiutavo nel suo lavoro muovendo un lume a petrolio che faceva riflettere strane ombre sulla parete. Vivevamo nel centro di Genova, a Vico Untoria, e io ogni sera morivo di paura.

Ho avuto ancora più paura quando sono arrivate le guardie regie. Sono scappato saltando dalla finestra, mi son fatto male, ma sono riuscito a dileguarmi, con il cuore che batteva come un martello, nel buio di Genova. Non ho più visto mia nonna. Io non credo che turlupinasse i clienti che si rivolgevano a lei per avere dai loro cari defunti i numeri del Lotto… Le guardie regie invece erano sicure che fosse una furbacchiona.

Mi trovarono in una strada vicina, e vedendo che zoppicavo a causa della caduta uno di loro mi prese in braccio.

La guardia regia puzzava di sigaro toscano, aveva dei gran baffoni, e io mi sentii rassicurato come se mi avesse preso in braccio il mio povero papà. Alla fin fine furono gentili, con me, le guardie regie; mi dettero i maritozzi, in caserma. Dissero: «Mangia, *poveo figgieu*, è roba buona».

Sono finito in un istituto per bambini abbandonati di Sant'Olcese. Le suore erano perfide come streghe: mi chiudevano nella carbonaia per terrorizzarmi. L'incubo di Sant'Olcese s'è concluso quando avevo sette anni e sono andato a scuola all'Albergo dei Fanciulli Umberto I. Stavolta ho trovato delle suore buone, le suore salesiane di Don Bosco, anche se i primi tempi avevo paura di guardarle in faccia temendo che potessero trasformarsi nelle streghe di Sant'Olcese. All'Albergo dei Fanciulli ho imparato ad amare la Madonna, ho trovato in lei una madre, anche se mi chiedevo sempre dove fosse la mia vera mamma, la mamma di carne, l'essere che mi aveva dato la vita.

Un orfano non conosce frontiere di affetto: è sempre alla ricerca di un sorriso, di una carezza, di un gesto di benevolenza, di labbra che sfiorino la sua fronte. Ma solo sua madre può dare un profumo alle carezze, ai baci, alla tenerezza.

Poveo figgieu, povero bambino, ecco cosa sono stato per anni e anni.

E il *poveo figgieu* diventa fascista proprio perché è un *poveo figgieu*.

III

Tra qualche istante il *Rex* passa sopra di me. Be', se tutti parlano di lui sui giornali e alla radio lo deve in minima

34

parte al mio lavoro, lo deve alle mie due mani callose, forti e sanguinanti, che si sono mischiate a una moltitudine di altre mani callose, forti e sanguinanti, che hanno tenuto lamiere, hanno usato torni, martelli e mazze, hanno afferrato corde per tirare su cataste di tavole e putrelle, hanno piantato febbrilmente chiodi e fissato viti, hanno usato la fiamma ossidrica, si sono aggrappate a qualche sporgenza delle sue alte vette d'acciaio quando i piedi scivolavano. E alla fine, modestamente, pur restando povere mani di operai hanno edificato questo miracolo che se ne andrà per i mari di tutto il mondo.

Perché non dev'essere un miracolo, il *Rex*? Io sento che avrà una grande storia. Chissà, forse ho ricevuto qualche scintilla delle doti misteriose della mia nonna slava.

Avrà una grande storia, il *Rex*... se non mi schiaccerà, se non ci schiaccerà tutti, il Bertuletta, ü Prain, ü Picchettin, ü Corason e ü Negrin che sono io. Ci han detto che è impossibile. Crediamoci, con il cuore in gola.

IV

Ero stato un ragazzino che aveva sempre vissuto in collegio, che aveva appreso il mestiere di operaio specializzato all'Istituto Artigianelli di don Montebruno che ha la sua tomba al cimitero di Staglieno, davanti alla quale m'inginocchio e prego. Ero fiero di appartenere allo stabilimento dell'Ansaldo, chi lavorava per l'Ansaldo lavorava per la Patria. S'entrava solo se si era fascisti, anche se io ne avevo il diritto perché ero un orfano di guerra. Gli scafi, le lamiere, le eliche accanto alle quali un uomo era ben povera cosa, le gru che sollevavano tonnellate di acciaio, il frastuono di un cantiere che cancellava le voci umane.

I primi tempi ero spaurito. M'impressionava la forza degli operai. Mi sembravano giganti anche se capitava che fossero magri come chiodi. Io ero abituato a vedere dei bambini, dei giovinetti, dei fuscelli.

Ogni tanto mi apparivano cupi, come se rifiutassero il peso del loro destino. Erano stati forgiati con lo stesso metallo delle lamiere del *Rex* e di altre possenti navi. Anch'io portavo fieramente il volto nero di grasso da cui spiccavano gli occhi brillanti come scintille di fonderia. C'erano operai che avevano sempre vissuto sulla spiaggia, lungo i moli verdi di alghe. Io, che a scuola avevo studiato la mitologia dei Greci, dicevo che assomigliavano al dio Vulcano.

M'intimorivano i maestri d'ascia, quelli che lavoravano il legname e gli davano una forma perché ogni lamiera era sagomata su seste di legno poi ci mettevano sopra la lastra. Erano pezzi d'uomo che non sapevano né leggere, né scrivere, eppure conoscevano il disegno, sviluppavano la poppa, la prua della nave come tanti Michelangelo, proprio nati per quel lavoro perché i padri gliel'avevano insegnato e prima i padri dei padri...

Stavo lì a guardarli in silenzio, esseri meravigliosi venuti dall'inferno o dalle stelle, poiché anche le stelle sono fatte di fuoco. A quei tempi le lamiere delle navi venivano tenute insieme con i chiodi; venivano forate e accostate l'una all'altra in modo che i fori combaciassero: in questi fori io davo colpi con grossi martelli sui chiodi incandescenti. Le gocce del sudore degli operai cadevano sulle capocchie dei chiodi e sfrigolavano. Il sudore era davvero un elemento integrante del *Rex*.

V

Guardando la prua mi trovavo a destra. Poco fa sentivo le voci di quel sabato d'agosto, sentivo gli applausi, le cannonate, ma tutto mi sembrava un suono unico o meglio una sola ventata di suoni.

Dio che caldo sotto il *Rex*.

Dio che paura.

Non avevo il coraggio di guardare la spina. La spina era un fermo che univa l'invasatura allo scalo. E la spina, dovevo toglierla nello stesso istante dei miei compagni. Tutti insieme. Perché se guardavo la spina, non guardavo indietro dove doveva abbassarsi il segnale azionato a mano che avrebbe dato il via.

E tutti noi come se fossimo un solo uomo, dovevamo staccare la spina che tratteneva la nave. E se non si muoveva c'erano i martinetti che avrebbero spinto il *Rex* verso la battigia. E se i martinetti non ci riuscivano che Gesù riscendesse a dare una spinta…

Perché bastava che uno di noi avesse un attimo di ritardo, un secondo, forse meno, e tutto il peso dello scafo sarebbe piombato sulla sua spina facendola scoppiare e forse uccidendolo. Un varo sembra una festa, tutta la gente è vestita bene e sta a guardare, c'è la madrina che nel nostro caso era la regina Elena, ci sono gli inni, ci sono le belle ragazze e le belle signore, e poi tanti militari sull'attenti, tante trombe, le piume dei bersaglieri…

Insomma una bella festa, si diceva sempre. Ma la morte, in un varo, se ne sta in agguato e io ero sicuro, con tutta la mia giovane incoscienza, che quel primo agosto era accucciata accanto a noi, assieme a noi, magari lungo lo scivolo.

Ci aspettava e poi se le fosse andata male, si sarebbe spostata altrove dove c'erano altri operai. Le sue prede preferite erano gli operai.

I capi del cantiere dicono: non succede mai niente a un varo, è tutto spettacolo. Storie. Per me la morte era in agguato, come sempre e com'è sua abitudine.

In nome di Dio ti battezzo... Il prete disse così e la sua voce rimbombò dall'altoparlante.

Poi sentii il colpo della bottiglia di spumante contro la prora, lo giuro, anche se si ruppe dall'altra parte, a sinistra per chi guardava il mare. Ü Prain ha detto più tardi che ho raccontato storie... E ü Corason, che stava a sentire, se ne è fatte di risate. Giuro che ho sentito lo scoppio della bottiglia di spumante. E poi...

Che silenzio! Forse perché a un certo punto Dio doveva aver messo un dito sulle labbra per imporre alla folla di stare zitta. Un silenzio che scese all'improvviso. Io, almeno, non sentii più nulla ed ebbi la sensazione che il sudore che calava lungo le mie guance facesse uno sfrigolio. Dovevano essere roventi di febbre o di chissà che cosa.

Ma era il silenzio della folla che mi raggelava. In realtà passavo dal freddo al caldo, dal caldo al freddo, senza interruzione, bruciavo come tra le fiamme dell'Inferno e poi gelavo come fossi sepolto nella neve, io che la neve dovevo averla vista da bambino piccolo piccolo. Immagino che i miei compagni provassero le stesse cose, ü Prain, Bertuletta, ü Picchettin... che, come me, stringevano i denti e avevano la testa storta verso quel segnale.

Eravamo sei a sinistra e sei a destra. In tutto dodici spine da togliere.

Io ero alla terza castagna, noi la chiamavamo così, ma i

tecnici preferivano la parola «scontro». Era la castagna che impediva alla nave di scivolare. Prain era alla prima castagna, Bertuletta alla seconda, gli altri non ricordo...

E poi c'erano le catene che servivano a frenare la nave quando toccava l'acqua. Erano serpenti di catene da trecento tonnellate collegati allo scafo e quando la nave scivolava verso il mare si portava dietro le catene con il rumore del tuono.

Ma che diavolo aspettavano con quel segnale... Gli occhi mi si erano riempiti di sudore, avevo la vista annebbiata e c'era sempre quel silenzio che non finiva mai. Pesava come un macigno, pesava quanto il *Rex* sulle nostre teste e che mi pareva fremesse... ma doveva essere il sudore negli occhi che faceva ondeggiare un po' tutto.

Negrin... Negrin... sentii a un tratto.

Qualcuno mi chiamava.

Ma chi? Non potevo voltarmi. Dovevo stare con gli occhi puntati verso quel fottuto segnale...

Non mi vergogno di dire che sul mio cuore passavano scariche elettriche. Chiamatela paura, se volete. E in uno squarcio brevissimo, sempre per una divina connessione che mi faceva vivere il passato e il presente, pensai alle fotografie del *Principessa Jolanda* rovesciata vicino alla riva, pensai al transatlantico *Roma* bloccato sullo scalo... Tutti dovevamo pensare le stesse cose. Le foto le avevo viste in un album e tutto mi venne davanti agli occhi. Quanto durò quest'altro lampo di divina connessione? Un secondo? Dieci secondi? Dai, che calcoli a fare, Negrin!

E venne finalmente il maledetto segnale, zac, la paletta rossa azionata a mano si abbassò.

Tolsi il mio gancio, la mia spina. Sapevo che la nave restava completamente libera. Libera anche di schiacciarci. Non sarebbe mai accaduto, certo, ma il fatto d'essere sovrastato da una massa scura lunga 260 metri, faceva rizzare i capelli sulla testa.

Il *Rex* oscurava la luce del giorno.

VI

Il segnale si era abbassato, le spine le avevamo tolte… Allora? Alzai lo sguardo come se avessi Dio che mi pesava addosso…

Allora, Madonna santissima? Ti muovi o no?

Quanto durò l'esitazione del *Rex* non l'ho mai saputo.

Poi mi raggiunse l'urlo della gente e anche il *Rex* urlò… Un solo urlo. Ma dovette annullare ogni altro rumore a Sestri, a Genova e in buona parte della costa.

Avevo chiuso gli occhi, sempre per qualche attimo… I sostegni caddero con uno schiocco e poi ecco lo sferragliare di catene. Se dico ch'era spaventoso è poco. Cascata, tuono, tromba d'aria… La nave si mosse sulla mia testa spinta dai martinetti idraulici. Quelle 13.000 tonnellate scivolarono a un metro dai miei capelli molli di sudore. Mi parve che *Rex* tirasse un infinito respiro di liberazione. Il *Rex* era nato.

Il sego bollente uscì ribollendo dagli scivoli. Una fumata calda ci avvolse e ci soffocò. Cominciai a tossire. Tutti tossivamo e sputavamo.

Più tardi mi chiesero: «Hai sentito le sirene delle navi?»

«No.»

«Hai sentito almeno le cannonate?»

«No.»

«Ma allora, cos'hai sentito là sotto?»

«La voce del *Rex*.»

«E com'è, la voce del *Rex*, Negrin?»

«Come un tuono.»

Ci rimettemmo di scatto in piedi, tutti storditi, e facemmo il saluto fascista al *Rex* che finiva la sua corsa sugli scivoli. Aveva percorso forse trecento metri, sempre avvolto da una grande nube di fumo a causa dell'attrito.

La nave fece l'inchino alla madrina. Si chiama così, la strana magia che capita talvolta in un varo: lo scafo procede sugli scivoli, arriva all'avanscalo sommerso e, al termine, perde un po' di galleggiabilità in prua e fa una specie di riverenza.

Non perdevamo di vista il *Rex*. Lo scafo si allontanò dalla costa per essere raggiunto dai rimorchiatori che dovevano riportarlo alla banchina di allestimento.

Vederlo in mare, nel suo luogo naturale, mi portò una vampata d'orgoglio. Da gelido che era, il mio cuore, s'era riempito di calore, come se pompasse fuoco. Urlai a Prain, Picchettin e a Corason.

«E adesso come vi sentite?»

E loro, sempre immobili come me nel saluto fascista, risposero: «Nostro figlio ha lasciato la culla».

Una montagna di acciaio, ma era nostro figlio, il *Rex*.

Parole che, anni dopo, mi dettero da pensare perché l'invasatura in fin dei conti è una culla.

Prain era più bagnato di me perché si trovava alla prima castagna, quasi sulla battigia e quando la nave aveva toccato l'acqua si erano formate grandi onde che salivano verso di noi.

Solo quando il *Rex* fu in mare mi resi conto che intorno a me e sulla nave gli uomini urlavano, si rotolavano per terra, facevano le capriole, si davano delle botte sulle spalle piangendo, urlavano il nome dell'ingegnere costruttore.

Era la nave più imponente che avesse costruito l'Ansaldo ed era anche opera mia, lo ripeto e lo ripeterò sempre. Il mio maestro era un veneto e m'aveva detto: Negrin, ascolta: degli uomini così piccoli hanno fatto una nave così grande!

Sì, eravamo fieri d'essere operai, fieri d'esserlo anche nel dolore e nella fatica. Perché non insisterci su queste cose? Eravamo onorati di lavorare all'Ansaldo. Quando suonava la sirena per annunciare che qualcuno era caduto dalle impalcature ed era morto, noi pensavamo ch'era inevitabile che il lavoro fosse fatto anche di sangue. Eravamo noi a fare una colletta per la famiglia. Ma la sirena ai tempi del *Rex* e di altri bastimenti suonava spesso. Morire era una cosa troppo normale.

4

*Il caldo cocente non era il peggio: era un puzzo
d'aria fradicia e ammorbata, che dalla bocca-
porta spalancata dei dormitori maschili ci saliva
su a zaffate fin sul cassero, un lezzume da mettere
pietà a considerare che veniva da creature umane, e da far spavento a pensare che cosa sarebbe
seguito se fosse scoppiata a bordo una malattia
contagiosa.*

EDMONDO DE AMICIS, *Sull'Oceano*, 1889

I

MUSSOLINI seguiva la crescita del *Rex* con sguardo attento
e spesso irato. Che cosa gli accadeva? Il Duce si sarebbe
dovuto rallegrare perché il *Rex* era decantato dai giornali
italiani e stranieri e film Luce come un'opera d'arte. E lo
era veramente, un'opera d'arte. Ne aveva lo splendore e
l'alterigia. Chi osava macchiare tanta magnificenza?

Il *Rex* era come una favola per i genovesi. Attraccato al
molo Giano di Genova, il transatlantico raggiungeva ormai, al ponte più alto, la controplancia, i 36,5 metri, quanto
un palazzo di dodici piani, come se ne trovavano a New
York. S'era sviluppato in altezza rispetto ai giorni del varo.
Era lungo 268,20 metri, come un viale cittadino e largo 31
metri, più largo della navata principale di San Pietro, e si
calcolava che la sua stazza lorda fosse, per il momento, di
50.100 tonnellate.

Era dotato di quattro gruppi di turbine ad alta pressione, costruite dall'Ansaldo di Sampierdarena, che gli permettevano di raggiungere una velocità superiore ai 27 nodi. Se i macchinisti avessero scatenato i suoi 140.000 cavalli, le quattro eliche, ognuna delle quali pesava 16 tonnellate, gli avrebbero consentito di superare i 30 nodi. Una velocità portentosa per l'immane delfino bianco e nero. Ma la vera potenza che poteva sviluppare il *Rex* era stata tenuta segreta. I concorrenti tedeschi e inglesi, a dispetto di tutte le spie pagate per conoscere ogni dettaglio del transatlantico, erano rimasti a bocca asciutta. La potenza era l'arma segreta del *Rex*.

L'interno era superbo, magnifico come una reggia di Versailles navigante o come il castello di Schönbrunn degli imperatori d'Austria. E ne aveva anche il fascino inquietante. Di notte, durante il periodo di allestimento, il deserto labirinto di corridoi, cabine, saloni, passeggiate, verande, ponti, scale, ascensori, luoghi di comando, sala macchine, stive e sentine pareva misteriosamente pulsare in un silenzio di attesa. Il personale di guardia, che andava su e giù con le torce elettriche, ne era impressionato e raccontava che la nave doveva avere una vita propria. Il *Rex* era come abitato da presenze inquietanti. Un po' come fosse stregato.

Erano pochi i palazzi del Regno d'Italia che potevano confrontarsi con la prima classe del *Rex*, le cui cabine erano per lo più delle suite dotate di mobili preziosi, arazzi, tappeti persiani, poltrone rivestite di seta, di specchiere, statue, quadri, marmi. Tutto era calcolato per emozionare il passeggero che, tuttavia, era relegato nella sua classe come i cittadini indiani nelle loro caste. Sarebbe stata un'impresa difficile per nobildonne e miliardarie sfuggire ai rituali dell'etichetta e rifugiarsi in terza classe dove, almeno su altri transatlantici, si ballava fino all'alba, si faceva l'amore coi giovani delle classi inferiori in vere e proprie orge e si mangiavano cibi rustici infocati dal peperoncino. C'erano immancabilmente passaggi segreti che erano indicati dal personale compiacente e che univano l'aristocrazia del viaggio agli emigranti, alla plebe oceanica.

Nel vestibolo d'imbarco si affacciavano uffici e negozi. Gran parte delle cabine di prima classe aveva una finestra sul mare e le suite erano dotate d'ingresso, stanza da bagno e camera da letto. Nelle vasche si poteva far scorrere acqua dolce o acqua di mare.

La scalea principale, che di sera sarebbe stata tutta un frusciare di signore indossanti modelli di Coco Chanel e d'Elsa Schiaparelli, scendeva maestosamente verso il salone da pranzo di 800 metri quadrati con soffitto a cassettoni, pilastri in marmo verde. Le luci erano diffuse da tubi al neon, tendaggi ricamati in verde, posate in alpacca argentata con la scritta Italia, la corona e il nodo simbolico dei Savoia create dalla ditta Broggi di Milano, mentre piatti e tazzine erano forniti dalla Richard-Ginori.

Non era un'esaltazione di lusso sfrenato, ma l'intento di fare del *Rex* una nave incantata. Il salone centrale aveva una superficie di 650 metri quadrati. I candelabri erano di bronzo e onice e gli arazzi del Settecento. Dal palcoscenico dell'orchestra al cinema-teatro tutto era fregi dorati e velluto.

C'era un busto di Vittorio Emanuele, ma neanche un ritratto o un'effigie stilizzata di Mussolini. Due gallerie portavano al salone delle feste, 500 metri quadrati in stile barocco, le finestre talmente alte che pareva di essere in un castello e qua e là erano disposti vasi con le palme profumate portate dal Marocco. Il luogo di maggiore intensità sociale era rappresentato dalla passeggiata coperta di 300 metri lungo le due murate, a destra e a sinistra del transatlantico. Lì sarebbero nati o si sarebbero disfatti amori e matrimoni, intese industriali, progetti politici e, chissà, anche imprese delittuose.

A poppa della passeggiata c'era la biblioteca con 2000 volumi e la sala di scrittura. Dalla passeggiata si poteva salire al bar soda-fountain sempre a poppa che esibiva un bassorilievo in bronzo della scultrice polacca Maryla Lednicka.

Il lusso si estendeva anche nella classe turistica e nella classe speciale. Tutti gli armatori europei miravano ad accaparrarsi i passeggeri americani. Pagavano in dollari, portavano allegria, sesso e spontaneità ed erano numerosi. E poi Mussolini ammirava gli Stati Uniti. Così, la classe turistica, che a detta degli armatori italiani costituiva una novità perché non era né troppo sfarzosa, né troppo modesta, era dedicata ai cittadini d'oltreoceano. Aveva la sua scalea, i suoi ascensori e dai finestroni lo sguardo spaziava per 180 gradi. La sala delle signore era in stile Settecento veneziano, per la sala dei fumatori era stato scelto il neoclassico italiano e dovunque il raso addolciva poltrone e divani. Ogni luogo di riunione aveva un pianoforte nella convinzione che gli americani fossero tutti suonatori o amanti del jazz.

La classe speciale era raffinata come la prima classe con cabine a due o quattro posti, molte delle quali con bagno privato. Anche qui grande sfoggio di seta e specchi, poi l'immancabile scalea. Due ascensori, con giovani addetti in divisa rossa come negli alberghi di prestigio, collegavano la classe speciale alla sala da pranzo.

Non era stata trascurata la fisioterapia per corpi vecchi e giovani ma assetati di piacere. C'era il solarium per abbronzarsi artificialmente con lampade ultraviolette. Un intero ponte, il più alto, il Ponte del Sole, era dedicato agli sport con maestri per ogni disciplina. Non mancava nulla per la gente di rango: tennis, volano, gioco delle piastrelle, pugilato, scherma, tiro al piattello, bagni turchi, squash, biciclette, cavalli elettrici per i bambini, nuovissime macchine massaggiatrici, contatori di distanza, di forza e di peso. La nave aveva addirittura l'aria condizionata e le due piscine scoperte, a poppa, potevano essere contornate di sabbia. La sabbia bionda della costa adriatica. Ai peccati di gola pensavano le cucine della Comi di Milano. Potevano preparare 9000 pasti al giorno e le pasticcerie 1500 dolci e paste all'ora.

Gli 860 passeggeri della terza classe, che sarebbero stati in gran parte degli emigranti, dovevano essere trattati con rispetto.

Mussolini aveva insistito su questo aspetto: «I nostri emigranti non cercano pane, ma lavoro», aveva detto.

E nessuno, come sempre, ebbe il coraggio di criticare tale affermazione.

Le cabine della terza classe erano di due o quattro posti, i futuri passeggeri-emigranti avrebbero avuto a disposizione saloni per i loro incontri e passeggiate per le loro chiacchiere paesane e per scambiarsi le loro nostalgie e la loro sofferenza. Avrebbero consumato i pasti in una sala da pranzo con 400 posti e avrebbero usato piatti e posate che gran parte di loro non aveva mai visto sulla propria tavola.

Avevano una sala fumatori, una sala riservata alle donne e perfino un cinematografo sonoro. Ma dovevano restare al loro posto come i pellerossa nella riserva dove li avevano relegati bianchi.

C'era un solo luogo dove tutti i passeggeri del *Rex* a-vrebbero potuto mischiarsi fra loro, la cappella del ponte C. Una cappella da ricchi, da villa patrizia con i confessionali, il calice in oro massiccio, un altare decorato in madreperla e una Madonna del Mare del Gaudenzi che non era così materna come quella cui erano abituati gli emigranti.

Questo era lo scenario.

Che cosa poteva dunque infastidire il capo del governo? Perché storceva la bocca pensando al *Rex*?

II

Mussolini aveva ordinato alla polizia politica di seguire ogni fase dell'allestimento e aveva preso l'abitudine di telefonare regolarmente a Costanzo Ciano, ministro delle Comunicazioni.

Nel settembre del 1932, uno dei tanti rapporti, per lo più anonimi, giunse sul suo tavolo. Riferiva[1] di dicerie su scandali per la costruzione del *Rex* e di affari illeciti e speculazioni sulle forniture di materiali. Poco tempo dopo un ulteriore rapporto doveva precisare: «Tutti sanno a Genova che la Navigazione Generale Italiana (NGI) ha pagato quasi 20 milioni di lire alla società... per un affrettato allestimento interno del *Rex*, allestimento che già si dimostra di qualità

48

inferiore e che per contro ha permesso agli alti papaveri della NGI di assicurarsi delle lautissime provvigioni».

Chiusi come branchi di piccoli pesci nel loro acquario, gli italiani non potevano sapere ciò che accadeva dietro le quinte del potere e nei meandri litigiosi delle società di navigazione, tra le quali avevano il primato la NGI e il Lloyd Sabaudo.

Certo, il consenso popolare per Mussolini cresceva come il *Rex*. Il popolo era sempre più ipnotizzato dal Duce che rimuoveva le frustrazioni e prometteva gloria e successi.

E nei discorsi, tenuti qua e là, riaffermava la volontà di pace dell'Italia verso tutti gli stati, «quelli lontani, quelli vicini e quelli vicinissimi», come aveva detto a Ravenna.

In realtà il discorso era stato un colpo basso. Vittorio Emanuele s'era innervosito soprattutto perché era stato pronunciato il giorno del varo del *Rex*. L'indomani il generale Asinari di Bernezzo gli aveva portato *Il Secolo XIX* su un vassoio d'argento dopo avere sottolineato con una matita alcuni passi dell'eloquio di Mussolini: «Dobbiamo spazzare dalla scena tutte le larve del tempo passato. Vogliamo la pace non già perché temiamo i rischi della guerra, ma perché siamo intenti a una grande fatica e vogliamo al più presto possibile togliere il popolo italiano dalle strette e dai disagi del tempo presente. Noi siamo pronti all'opera di rovesciamento e di distruzione di tutto ciò che può ostacolare il cammino della rivoluzione fascista, la quale deve assicurare il benessere al popolo italiano e dargli sempre più alto il senso della sua rinnovata grandezza».

Le parole «larve del passato» avevano ferito il re. Non era anche lui, assieme a tutto il ramo di casa Savoia, una larva del passato? Il generale Asinari di Bernezzo aveva subito notato un gesto di nervosismo: Vittorio Emanuele aveva bruscamente gettato il giornale su un tavolo della residenza di San Dalmazzo dove i sovrani erano rientrati dopo il varo del *Rex* e una visita, a Camogli, in un ospizio riservato a marinai.

Sulla terrazza c'era anche la regina Elena. Dovevano uscire per fare una piccola gara di fotografia con le loro Kodak. Elena aveva guardato il consorte con apprensione. E se non fosse stato presente l'alto ufficiale, gli avrebbe detto: «*Ne vous faites pas du mauvais sang, mon ami...*» È meglio lasciar correre.

Il sovrano si sentiva allontanato dalla scena e dal cuore degli italiani. Era un fiume di popolo quello che si era riversato da Genova a Sestri Ponente, ma era solo animato da curiosità e da fierezza per il *Rex*. Le grida di evviva all'indirizzo della coppia regale erano pronunciate per abitudine. Non erompevano dal cuore.

Vittorio Emanuele pensò al suo pennacchio che detestava. E pensò anche a quel giorno lontano quando ancora bambino, dovendo uscire in carrozza con la madre, le aveva chiesto quasi rabbiosamente: «Ma non ti vergogni di farti vedere in giro con un rachitico?»

Il popolo italiano lo considerava oggi un rachitico? Fisicamente e politicamente?

Nell'autunno del 1932 il *Rex* diventò sempre più una presenza fastidiosa nei pensieri del Duce. Il transatlantico era bellissimo, ma come tutte le creature dotate di grande fascino gli appariva sfuggente, estraneo alla retorica fascista che lo circondava e voleva sottometterlo.

Eppure il capo del governo avrebbe dovuto pensare ad altro. C'era da preoccuparsi per l'ascesa del movimento di Hitler nelle elezioni legislative del luglio 1932. Si avvicinava il momento di scendere in campo per sfoggiare le sue doti di arbitro per gli equilibri europei. Maturava in lui l'intento di attribuire al fascismo una vocazione universale: tra dieci anni, aveva proclamato, l'Europa sarà fascista o fascistizzata.

Fortunatamente le voci di corruzione nell'allestimento del *Rex* non si erano diffuse all'estero. I rapporti erano chiusi nelle casseforti dei servizi segreti. Ma potevano saltar fuori. L'Italia era tenuta di mira dall'intelligence europea. E così il Duce aveva fretta che il *Rex* raccogliesse trionfi sui mari. Era sempre più impaziente, anche perché aveva un'altra idea fissa: inoculare il senso della sfida negli italiani.

Il 4 settembre accolse con voce dura una telefonata di Costanzo Ciano, ministro delle Comunicazioni e fascista della prima ora che gli annunciava il successo delle prove nel golfo di Genova. Le previsioni erano state confermate: il transatlantico era veloce e agile nella manovra.

«Il *Conte di Savoia* andrà meglio, è più moderno, più fascista», reagì Mussolini annacquando subito l'entusiasmo di Ciano che ammutolì.

Aggiunse con tono alterato: «Ma tu capisci che i tedeschi ci stanno umiliando con i loro transatlantici… come si chiamano a proposito?»

«Il *Bremen* e l'*Europa*», rispose con un filo di voce Ciano.

«Hanno strappato il Nastro Azzurro alla Gran Bretagna che è un simbolo per quella plutocrazia di merda perché porta il colore dell'Ordine della Giarrettiera… L'azzurro, Costanzo. È il più elevato ordine cavalleresco inglese. Insomma i crucchi hanno sputato in faccia alla regina dei mari.»

«Nel 1929 con il *Bremen* e l'anno dopo con l'*Europa*», ·precisò Ciano.

«Noi adesso dobbiamo strappare il Nastro Azzurro ai tedeschi... Francesco De Pinedo e le sua gesta con gli idrovolanti Savoia-Marchetti hanno portato gloria e romanticismo all'Italia... alla nostra rivoluzione. E lo stesso è avvenuto con le crociere di Balbo. Sarà un uomo pericoloso, ma ha portato le sue squadriglie a Rio de Janeiro. Voglio il Nastro Azzurro, lo vogliono gli italiani. Ma quando ci riusciremo, Costanzo? Insomma, sbrigati!»

E secondo il suo cameriere, presente per caso nella sala, il Duce riagganciò la cornetta borbottando un epiteto in dialetto romagnolo sull'acume di Ciano. Alcuni sostengono: «Vecchio coglione».

III

In quei giorni il Duce preferiva il *Conte di Savoia*, il rivale del *Rex*. Forse perché nutriva inconfessati sentimenti per la fascinosa e giovane Maria José, consorte di Umberto, principe di Piemonte ed erede al trono, che ne era stata la madrina. «La principessa è di coscia lunga», aveva sentenziato a bassa voce in un ricevimento.

Costruito nel Cantiere San Marco, il *Conte di Savoia* fu varato a Trieste il 28 ottobre 1931, anniversario della Marcia su Roma. Tutto era filato liscio. Mussolini non s'era fatto vedere nemmeno questa volta.

Furono momenti pieni di emozione. Maria José si fece

avanti sorridente. Una visione. La principessa che è scesa dal Nord, disse qualcuno. I suoi occhi chiari, che ricordavano il cielo delle Ardenne, furono molto ammirati. Quel 28 ottobre risplendevano alla luce che veniva dal mare.

Ancora un gigante di acciaio tutto pavesato a festa. Aveva il grande stemma sabaudo sulla prora. C'erano oltre 80.000 persone ad attendere la bella principessa e il bel principe, una coppia da favola per gli italiani che cominciavano ad annoiarsi, con soddisfazione di Mussolini, dei vecchi sovrani.

Maria José era avvolta in un soprabito verde Nilo guarnito di una volpe grigia e prese posto sul palco dove una bimba, figlia di un operaio del cantiere, le porse un mazzo di rose. Dagli altoparlanti si levò l'invito del direttore di varo, ingegner Cossutta: «Altezza Reale, in nome di Dio, tagliate!»

Con gesto deciso Maria José impugnò una piccola ascia d'argento e tagliò il sottile cavo: la bottiglia di spumante s'infranse con un sibilo sulla fiancata della nave. E subito, senza che si vivessero attimi di tensione com'era accaduto al varo del *Rex*, il *Conte di Savoia* si mosse. La poppa di quella massa di 20.000 tonnellate sprofondò con un gran tonfo in mare. Le sirene delle altre navi mandarono ululati, i cannoni militari spararono e gli aerei passarono rombando nel cielo di Trieste.

Augusto Cosulich e Renzo Durand de La Penne, amministratori delegati del Lloyd Sabaudo, la società armatrice con sede a Torino, avevano molto insistito perché Maria José fosse la madrina del transatlantico. Casa Savoia era azionista del Lloyd Sabaudo. E poi Maria José era proprio una cover girl, una sensualona del tipo ghiaccio bollente, come già si diceva allora, e soprattutto non aveva quella spenta aria da mamma della regina Elena. Il che, poi, era un'ingiustizia nei confronti di Elena che conservava intatta la propria fiamma slava.

Maria José disse subito al marito: «Questa è la mia nave».

E qualche settimana dopo acconsentì a farsi ritrarre dalla polacca Maryla Lednicka in un busto di bronzo che doveva adornare la lunga veranda a lei intitolata, la Galleria della Principessa.

Il *Conte di Savoia* rappresentava un grande passo avanti nella storia delle costruzioni navali, soprattutto se si pensava al sistema antirollio che doveva impedire bruschi movimenti dello scafo quando il mare era impetuoso come capitava frequentemente nelle traversate atlantiche.

La stazza lorda del *Conte di Savoia* sarebbe stata di 48.502 tonnellate e la potenza di 130.000 cavalli. Nell'ottobre del 1932, durante le prove di potenza, il transatlantico triestino arrivò a 29,43 nodi ottenendo il record mondiale di velocità e battendo il *Rex* che aveva sfiorato i 29 nodi.

Una rivalità che sarebbe durata a lungo. Ogni volta che i due transatlantici s'incontravano in mare, le sirene Tyfon, che si potevano udire a 20 chilometri di distanza, lanciavano segnali su due note diverse più in segno di derisione che di cortesia. Ci furono risse tra gli equipaggi nei porti dove si trovavano entrambe le navi. E si ebbe anche notizia che era scoppiata una scazzottata a bordo del veliero *Patria*, nave scuola, tra gli allievi triestini e quelli genovesi.

Il *Conte di Savoia* era in grado di imbarcare 2200 passeggeri in quattro classi, e 768 persone di equipaggio. Il *Rex* un po' meno, 2032. In compenso aveva 870 uomini di equipaggio. C'era competizione anche nel lusso. Nell'arredamento del transatlantico di Trieste spiccava la sala per le feste della prima classe, il Salone Colonna, progettato dall'architetto Coppedé. Era una copia con colonne e volta affrescata della galleria esistente a Roma, vicino a Palazzo Chigi, che si chiamava Galleria Colonna.

Il 29 novembre 1932 il *Conte di Savoia* fu consegnato all'Italia Flotte Riunite che rappresentava la grande intesa fra la Navigazione Generale Italiana, il Lloyd Sabaudo e la Cosulich. Il Duce l'aveva imposta dopo trattative cominciate nell'ottobre del 1931 e terminate in uno studio notarile il 2 gennaio 1932.

Con il chiodo fisso del Nastro Azzurro, Mussolini voleva controllare la flotta dei transatlantici e l'unico sistema era di ancorarla a un unico organo amministrativo, la Società Industriale e Finanziaria Italiana. Tutte le navi avrebbero avuto il fumaiolo dipinto di bianco e ornato in alto dal tricolore.

Al Duce piaceva il comandante del *Conte di Savoia*, Antonio Lena, il quale parlava l'inglese ed era un ufficiale raffinato. Conosceva Kipling e Conrad e le sue uniformi uscivano da un grande sarto napoletano. Non è che queste cose contassero molto per Mussolini, ma lui riteneva che dessero un tocco di signorilità alla marineria italiana, per lo più, diceva, composta da cafoni meridionali.

Mentre Francesco Tarabotto, il comandante del *Rex*, gli

appariva come una specie di leccaculo che aveva insistito per anni con lettere e suppliche pur di ottenere una sua fotografia con dedica e in certe occasioni indossava la camicia nera sotto la divisa.

«Un ufficiale di Marina deve restare un ufficiale di Marina», diceva il Duce.

Antonio Lena aveva ricevuto fin dall'inizio un ordine che doveva restare segreto. Ne erano a conoscenza solo Umberto e Maria José. Doveva conquistare il Nastro Azzurro alla sua prima traversata.

IV

La guerra per la conquista dei mari commerciali era nel suo momento più feroce e piratesco. Nel 1928 il Norddeutscher Lloyd, agevolato dalla politica del governo germanico, aveva dato il via alla costruzione del *Bremen* e dell'*Europa*, due transatlantici gemelli di circa 50.000 tonnellate ed estremamente avanzati dal punto di vista tecnologico. Fu duro per la Germania battersi contro la supremazia inglese nell'Atlantico.

Come record di velocità, il Nastro Azzurro, in inglese Blue Ribbon (o Blue Riband), premiava il coraggio, l'audacia e l'abilità delle marinerie. Un'onorificenza fino allora fantasmagorica, mai esistita materialmente, nel senso di concreto premio da assegnare con una giuria e una cerimonia. Il trofeo, anche se del tutto teorico, proveniva, come aveva ricordato Mussolini a Ciano, dall'insegna del British Order of the Garter, l'Ordine della Giarrettiera. Si dovette aspettare il 1935 perché il trofeo si materializzasse in un oggetto prezioso. Harold K. Hales, parlamentare inglese, donò il suo Hales Trophy, creato da un orafo di Sheffield. Una coppa di fattura bizzarra.

Il Blue Ribbon era nato nella prima metà dell'Ottocento dalla smania tutta britannica per le gare, le scommesse e l'agonismo. E già esisteva all'epoca dei velieri e dei clipper che veleggiavano piegati a pelo d'acqua. Nemmeno i gabbiani potevano posarsi su alberi e murate durante le corse per il trasporto del tè. E per queste sfide si scommettevano mucchi di sterline a Londra e in altri porti della Gran Bretagna. C'erano le leggende del *Cutty Sark*, del *Flying Cloud*, del *Sovereign of the Seas*. E se si risale ancor più nel passato il Nastro Azzurro era assegnato al più veloce dei clipper che, doppiando il Capo Horne e superando tempeste orribili, portava la lana australiana in Europa.

Ma il vero duello, con azioni di spionaggio e talora atti di banditismo, cominciò con l'era del vapore. L'ingresso sempre più pressante della tecnologia nella navigazione annullava, a mano a mano, il gusto della bella avventura marinara. L'affarismo imponeva la ferocia.

Ai tempi della navigazione a vela i barchi della Black Ball Line attraversavano l'Oceano da New York a Liverpool in 45 giorni. A bordo, per la sporcizia e la promiscuità, la morte mieteva decine di vittime. Sulla nave italiana *Carlo R*, nel 1894, che aveva imbarcato a Napoli più di 1400 emigranti diretti in Brasile, scoppiò un'epidemia di colera con numerosi morti ogni ventiquattr'ore. I cadaveri nudi e già in decomposizione erano buttati in mare con un requiem frettoloso ed erano subito divorati dagli squali che seguivano il bastimento. In qualche caso finivano in acqua anche gli agonizzanti.

A Rio de Janeiro, le autorità brasiliane costrinsero il *Carlo R* a tornare indietro e in Mediterraneo la nave fu messa in quarantena all'Asinara. Un terzo dei passeggeri morì.

Di solito all'andata si rischiava il colera e al ritorno dal Sud America la febbre gialla.

Qualche decennio prima, nel 1838, il *Great Western* inglese di 1340 tonnellate, arrivò a New York in 14 giorni, quasi contemporaneamente al *Sirius* che era un *ocean liner* americano di sole 700 tonnellate. Per battere il *Great Western*, il *Sirius* aveva tolto gli ormeggi alcuni giorni prima. Ma si trovò in pieno Oceano a corto di combustibile e riuscì ad arrivare in porto solo bruciando il mobilio di bordo.

Il flusso migratorio verso il Nord America s'intensificò e così fu necessario moltiplicare e dare maggiore velocità al trasporto marittimo. La società britannica Cunard[2] istituì un servizio regolare fra Liverpool e Boston. Nel 1840 il *Britannia* di 1154 tonnellate della Cunard attraversò l'Atlantico a 8,50 nodi di media in 12 giorni e 10 ore. La battaglia dell'Atlantico sembrava ormai riservata alle sole navi britanniche.

Gli americani si svegliarono ed entrarono in competizione. Era una nazione che credeva che Dio accogliesse fra le sue braccia solo i ricchi e i vincitori. Ottennero il Nastro Azzurro nel 1851 e nel 1852 con il *Baltic*, con il *Pacific* e l'*Arctic* riducendo il tempo di traversata a 9 giorni. L'Atlantico si attraversa da ovest a est e viceversa, Nord America-Europa nel primo caso, Europa-Nord America nel secondo. Ma la battaglia del Blue Riband si è svolta tra i porti europei e quello di New York, annunciato dal faro di Sandy Hook fino ai primi anni del Novecento e poi dal faro navigante di Ambrose. Le rotte potevano essere diverse a seconda dei punti di partenza, New York negli Stati Uniti e, in Europa, Cherbourg, Queenstown, Needles, Liverpool, Gibilterra.

Nel 1854 il record divenne di 13,25 nodi. Poi gli inglesi, a partire dal 1856 con il bastimento *Persia*, si tennero stretto il Nastro Azzurro fino al 1897, quando la nave tedesca *Kaiser Wilhelm der Grosse* di 14.400 tonnellate del Norddeutscher Lloyd battè il record di 22 nodi del *Lucania*, appartente alla flotta della regina Vittoria. Con le macchine che stavano per scoppiare e i passeggeri terrorizzati nelle loro cabine, la nave dell'imperatore Guglielmo II toccò i 22,35 nodi. L'Atlantico si poteva ormai attraversare in poco più di 5 giorni.

Il Nastro Azzurro rappresenta il fascino della corsa, ma le compagnie vi aspirano per le ripercussioni economiche perché la gloria della nave vincitrice si riflette su tutta la flotta. Il passeggero inconsciamente o consciamente la predilige anche se soffre il mal di mare e ha paura che un iceberg sia sempre in agguato nella nebbia. L'Ottocento cova le follie che esploderanno nel Novecento. Una vera vita dev'essere vissuta a tutta velocità o a tutto vapore. È incalcolabile il numero delle tonnellate di carbone bruciate per la corsa sull'Atlantico.

Se avessero potuto, gli inglesi avrebbero difeso i loro successi a cannonate e ci fu chi, all'Ammiragliato, avanzò l'idea di far scortare i transatlantici in gara da navi da guerra. Le società marittime tedesche, grazie al successo del *Kaiser Wilhelm der Grosse*, trasportarono il 24 per cento di tutti i passeggeri destinati a New York.

I britannici rialzarono la testa nel 1907 con il *Lusitania* che durante la guerra sarebbe stato crudelmente colato a picco proprio da un sottomarino tedesco, quasi fosse una vendetta. Morirono in molti. Il ritorno al dominio dell'Atlantico, con una traversata durata 4 giorni e 22 ore, fu un'aspra battaglia per gli inglesi. Infiniti e tragici tentativi, caldaie e apparati motore che presentavano preoccupanti crepe.

Non si moriva più di colera a bordo delle navi transoceaniche, ma di bruciature dovute a perdite di sfiati bollenti o di pezzi meccanici che, staccandosi, si trasformavano in proiettili fracassando crani o toraci. E nessuno ha mai contato i passeggeri deceduti per un infarto.

«Non si è mai calcolato», disse un giorno Costanzo Ciano che era un uomo di mare, «quanto sia costato in vite umane il Nastro Azzurro. E a che cosa si riduce? A un attestato su un registro marittimo o a un semplice momento di ebbrezza nella memoria del marinaio.» La smania di ottenere l'attestato ben presto avrebbe bruciato anche lui, se non altro per far tacere Mussolini.

Blue Riband, una onorificenza fantomatica per cui un comandante era pronto a sacrificare la propria vita, quella dei suoi marinai e quella dei passeggeri. Ma nessun comandante avrebbe mai ammesso che era pronto a giocare il tutto per tutto.

L'orgoglio di Sua Maestà Britannica restò a lungo intatto, grazie al transatlantico *Mauretania* della Cunard che umiliò i connazionali del *Lusitania* nel 1909 percorrendo, da Queenstown al faro americano di Ambrose, 2784 miglia in 4 giorni, 10 ore e 51 minuti a una media di 26,06 nodi. Glorioso e splendido *Mauretania* dotato di turbine a vapore e di quattro fumaioli. Aveva una velocità massima di 30 nodi e pesava circa 32.000 tonnellate.

Il comandante Edward Smith del *Titanic*, il 14 aprile del 1912, che era una serena domenica di Atlantico, sperava ancora di battere il record del *Mauretania*. A bordo, Bruce Ismay, direttore generale della White Star Line, rivale della Cunard, s'era mostrato subdolo alla partenza. Non aveva dato un ordine preciso: «Dobbiamo conquistare il Blue Riband!» Ma aveva fatto capire che sarebbe stato un gran colpo per la più moderna nave del mondo, l'inaffondabile *Titanic* di 46.000 tonnellate, arrivare trionfalmente a New York accolti dallo sconvolgente concerto di sirene.

Un iceberg, alle 23.40 dello stesso giorno, lacerò la fiancata del *Titanic* e ogni speranza.

V

Musicisti come Gershwin e lo Stravinskij dell'*Uccello di fuoco* furono tentati di trasformare in sinfonia la lotta per il Nastro Azzurro. Solo il Wagner del *Vascello fantasma*, con il suo coro dei marinai, rifletteva in chiave fantastica lo spirito dell'impresa transoceanica che del resto aveva avuto, fin dai primi anni del Novecento, un che di faustiano. Si doveva venire a patti con il diavolo perché scendesse nelle caldaie e sprigionasse il suo fiato di fuoco.

Il record del *Mauretania* non fu battuto per vent'anni. Poi il tedesco *Bremen*, 51.000 tonnellate, trionfò nel luglio del 1929 e il suo gemello *Europa*, 49.000 tonnellate, otto mesi dopo strappò il trofeo al *Bremen*: 27,83 nodi di media il primo, 27,91 il secondo. Una differenza minima. Per sbarcare a New York ci volevano solo 4 giorni e poche ore. Le due navi erano anche dotate di idrovolanti che potevano essere catapultati per distribuire la posta con molte ore di anticipo rispetto all'orario di arrivo.

Fondato nel 1857 e diretto da uomini aggressivi e decisi a mantenere il dominio della rotta per New York come Carl Stimming, Ernst Glässel, Adolf Stadtländer e Heinrich Heimsoth, il Norddeutscher Lloyd seguiva con preoccupazione le mosse del *Rex* e del *Conte di Savoia*. Soprattutto Ernst Glässel, personaggio di grande cultura. Lo stesso atteggiamento avevano i francesi della Compagnie Générale Transatlantique che avevano tentato vanamente di conquistare il primato con l'*Île de France* di 44.000 tonnellate, che era entrato in linea nel 1927. Preparavano una rivincita con il *Normandie* che avrebbe superato le 83.000 tonnellate e secondo il progettista sarebbe apparso come un «vaisseau de lumière» per i suoi saloni realizzati solo con specchi e vetri.

Nel settembre del 1932 le prove del *Rex* e successivamente, a novembre, quelle del *Conte di Savoia* nel golfo di Genova, fra Punta Chiappa e Punta Mesco, avevano impensierito i tecnici della società di navigazione di Brema. I due ocean liners italiani volavano sul mare. Avevano la stessa agilità dei clipper dell'Ottocento.

Tra le chiacchiere e le sommosse della Repubblica di Weimar, che nel 1932 contava sei milioni di disoccupati, le società di navigazione come il Norddeutscher Lloyd rappresentavano, secondo il linguaggio dei diplomatici di allora, un chiarore perlaceo di speranza.

Il Nastro Azzurro rammentava imprese narrate da Melville, Conrad e London. I reportage ne esaltavano il significato. Al Norddeutscher Lloyd i progetti degli armatori italiani, anche se protetti dal riserbo, erano motivo di tensione. Dietro i paraventi della società armatrice agivano uomini che già sembravano condizionati dallo spirito mistico del movimento nazista: il Nastro Azzurro appariva come una sorta di Graal marinaro.

«Il *Conte di Savoia* e il *Rex* ci daranno del filo da torcere», disse in riunione Ernst Glässel dopo aver letto i rapporti delle spie inviate a Genova.

Glässel, nominato presidente del Norddeutscher Lloyd dopo il regno di Karl Stimming, aveva strategie fulminanti. Il *Bremen* e l'*Europa* erano anche il frutto della sua lungimiranza, erano sue creature, e i loro successi nelle rotte atlantiche rappresentavano il coronamento della sua strategia per vincere la battaglia commerciale dell'Atlantico. Il Norddeutscher Lloyd era disposto a tutto: le navi italiane non dovevano strappare il Nastro Azzurro al Reich. Bisognava impedirlo.

Era compreso il sabotaggio?

Nessuno poteva giurarlo. Ma non era di certo nello stile di Glässel che abbandonò la società di navigazione suscitando perplessità e sospetti.

Di certo, ocean liners come il *Bremen* e l'*Europa* figuravano fra le poche realtà che funzionassero nella Germania di quei giorni. Non dovevano sfigurare.

Tra i due transatlantici Glässel aveva sempre preferito il *Bremen*. Prima di lasciare il Norddeutscher Lloyd, disse: «Dobbiamo giocare la carta del *Bremen*. Il nostro obiettivo è di superare i 30 nodi per tenerci stretto il Nastro Azzurro che è come una miniera d'oro e gli italiani sono i nuovi bucanieri dell'Atlantico».

Note

1. Archivio centrale dello Stato, ministero dell'interno, polizia politica, fascicoli per materia, Categoria N 3.

2. Samuel Cunard, fondatore della maggiore compagnia di navigazione di tutti i tempi, costituì la sua società nel 1839. Cunard era canadese, nato nella Nuova Scozia.

5

Il capitano, profeta dai galloni d'oro, ne ha viste troppe, ma sa di non sapere niente, di non vedere niente. Bel tempo, mare buono, collera di Iehova. Niente. Il capitano dorme per un po', dice la sua preghiera, la stessa dei tempi di Noè. La mia vita, la loro vita, l'Oceano, l'insicurezza, la notte, l'incalcolabile fatalità....

YANN QUEFFÉLEC, *Toi, l'horizon*

I

MARTEDÌ 27 settembre 1932 la partenza del *Rex* fu scenicamente degna del regime. Era il primo viaggio della nave che, come proclamò Achille Starace, segretario generale del PNF, doveva diventare un simbolo della religione fascista.

Gli operatori americani della Fox Movietone filmarono il ministro Ciano, ripresero i tratti eleganti di Luigi di Savoia duca degli Abruzzi nonché presidente dell'Italia-Flotte Riunite, si attardarono anche sul comandante Francesco Tarabotto, che portava gagliardamente i suoi cinquantacinque anni e si arricciava i baffi. Soffermarono l'obiettivo sul comandante in seconda Ottino e sulle miti fattezze del direttore di macchina Risso, sui volti scuriti dal sole dei marinai, sulle belle signore americane con i cappelli infiorati, sull'ex sindaco di New York Walker, su don Luigi Umberto Cassani, il cappellano della nave, al quale, due giorni prima, l'arcivescovo di Genova Dalmazio Minoretti, che aveva officiato la cerimonia del varo, aveva raccomandato di considerare la cappella, elevata al rango di parrocchia, come il vero cuore palpitante del *Rex*.

Il prelato non colse l'occhiata indefinibile che gli rivolse il cappellano, un bell'uomo, alto, virile, che da anni andava per mare e sapeva come la voce di Dio facesse fatica a raggiungere le anime sui transatlantici, sia in prima classe sia in terza. Don Cassani aveva una sua strada per trovare Dio e farlo trovare a chi lo aveva perso o sentiva di essere sul punto di perderlo. E come se Dio in quegli istanti fosse d'accordo con lui, le sirene Tyfon del *Rex* fecero tremare i vetri della città di Genova e soverchiarono, per un paio di minuti, la fanfara che suonava *Giovinezza*.

Dopo poco si navigava verso Villafranca e intorno al *Rex* farfalleggiavano barche a vela e saettavano motoscafi sollevando scie di schiuma. I più arditi si portavano vicino al transatlantico e su un motoscafo un gruppo di giovani nudisti, uomini e donne, alzarono il braccio nel saluto romano. A Villafranca salirono a bordo altri passeggeri. Erano eleganti, profumati, le signore indossavano le ultime novità della *haute couture* parigina. E poi Tarabotto dette l'ordine di scendere a tutta forza verso Gibilterra. Sarebbe stato splendido ottenere il Nastro Azzurro nel viaggio inaugurale.[1]

La notte di giovedì 29 settembre era dolce. Con il pulsare metodico delle sue tre turbine. Il *Rex* si stava avvicinando a Gibilterra. Il comandante Tarabotto si era appena disteso sul letto e ascoltava una stazione radio di Barcellona che trasmetteva un flamenco dopo l'altro. Il suo alloggio si trovava sul Ponte del Sole che era la parte più elevata della nave. Non era lontano dal tiro a segno e dalla galleria dello squash.

Più o meno sotto il primo fumaiolo c'era la stazione radiotelefonica, seguiva l'alloggio del comandante, quindi, separate da una porta, c'erano la sala con le carte nautiche e la plancia. I due locali di Tarabotto, un salotto e una camera da letto, erano sistemati con dignitoso decoro. Sopra il letto, una accanto all'altra, la fotografia della madre e quella del Duce che Tarabotto aveva ottenuto nel marzo del 1928 grazie all'amico Aristide Chiappe, gioielliere milanese e console della Milizia. Questi aveva inoltrato una richiesta alla segreteria del Duce perché l'allora comandante dell'*Augustus*, nave di spicco, potesse avere un ritratto con dedica e autografo del capo del governo.

«Sono certo che faremo la felicità di quell'uomo, il quale è anche un ottimo fascista», concluse Aristide Chiappe.[2]

Vicino alla branda, Lilin, la cagnetta fox terrier di pelo bianco che aveva sul muso una chiazza nera come una maschera, aveva la sua cuccia blu notte ornata di stelle marine e dentro la cuccia un sacco nel quale s'infilava. Regnava da regina. Tarabotto era capace di parlarle per ore, come tutti gli uomini soli. Non aveva amici né a bordo, né a terra, non aveva affetti tranne la madre Maddalena e i suoi tre fratelli Guido, Elio e Gino. Questi era l'unico che si fosse sposato e aveva una bambina di nome Angelina, Linin come la chiamava Tarabotto.

La cagnetta Lilin doveva sapere tutto di Tarabotto, del resto lui ne era convinto perché, a forza di parlarle, la cagnetta si era come insinuata nella sua dimensione umana e se per legge genetica non poteva e forse non doveva cogliere il valore lessicale delle parole, traeva dall'insieme una specie di musicalità che poteva indicare tristezza, soddisfazione, nostalgia e altri sentimenti. Aveva un cuore quell'uomo senza cuore, ma pochi se n'erano accorti. Tarabotto faceva passeggiare Lilin in un angolo del ponte, subito fuori del suo alloggio e talora, di notte, con la complicità di un *groom* che si chiamava Ernesto Isaia, la portava sotto braccio e in gran segreto fino a una delle piscine situate a poppa. Lilin amava l'acqua pur essendo molto vecchia per un cane.

Davanti all'alloggio di Tarabotto, Ernesto Isaia aveva allestito una sorta di piazzola su cui la cagnetta si abbandonava ai suoi bisogni. Il comandante puliva di persona la piazzola, sempre a notte fonda, con una scopa e un secchio e nessuno doveva vederlo. Se un ufficiale o qualche altro graduato fosse stato sorpreso a spiare il comandante mentre si sbarazzava degli escrementi di Lilin avrebbe rischiato, in modo indiretto, misure disciplinari. Si trattava, in fin dei conti, di un delicato risvolto dell'impenetrabile riservatezza di cui si circondava Tarabotto. Ernesto Isaia, capelli biondi e occhi chiari, vivace e intelligente, godeva della sua fiducia.

II

Alle 22, secondo il libro di bordo, la nave ebbe uno scossone. Il mare era calmo, non c'erano né scogli, né secche. Tarabotto spense subito la radio che continuava a trasmettere musiche languide. Gli uomini dell'equipaggio, che si riposavano in attesa del loro turno sopra il locale delle dinamo, all'incirca al centro della parte più profonda del *Rex*, alla perpendicolare tra il primo e il secondo fumaiolo, furono sballottati nelle cuccette. Le automobili custodite nel garage sobbalzarono. Lo scossone salì, verticalmente, fino alla grande sala da ballo dove alcune coppie ballavano al suono di *What Is This Thing Called Love?* di Cole Porter.

Le luci si spensero, poi si riaccesero, quindi si spensero di nuovo e tornarono a illuminarsi. Il *Rex* rallentò. I passeggeri ancora svegli si spaventarono, ci fu un andirivieni alle murate e ci fu chi chiese informazioni in tono allarmato: «Che succede? Abbiamo urtato una balena?»

«Non staremo mica affondando?» si preoccupò l'ex sindaco di New York, James Walker, ubriaco fradicio, alla testa dei passeggeri americani.

Non ci fu alcun chiarimento.

Tarabotto fu subito informato che c'era stato un guasto alle turbo-dinamo. Si vestì rapidamente, lasciò che Lilin saltasse sul suo letto e in un balzo fu in plancia. Giuseppe Ottino, comandante in seconda, fu drammaticamente preciso: «Due turbo-dinamo sono in avaria, comandante; il direttore di macchina Bertamino mi ha informato che stiamo usando solo quella di emergenza. Ho mandato giù Luigi Gallo».

«Lei resti in plancia, Ottino, e segnali a Gibilterra che arriveremo in ritardo. Lei, Bocca, venga giù con me», ordinò Tarabotto.

«Signorsì», rispose il secondo ufficiale.

Il comandante non aveva perso la calma, ma nel suo intimo, come avrebbe raccontato tempo dopo, infuriava una ridda di cupi pensieri. Il *Rex* fulminato da un guasto sotto gli occhi dei militari inglesi di Gibilterra, e magari di agenti delle altre compagnie di navigazione, poteva significare la fine della sua carriera.

«Si sbrighi», esclamò all'indirizzo di Attilio Bocca.

La disciplina sul *Rex* era molto rigida. Sembrava di essere su una nave militare. Del resto Tarabotto aveva prestato servizio nella Regia Marina.

Non si poteva entrare nei saloni durante le feste, chi apparteneva allo stato maggiore poteva ammirarne lo stile architettonico solo quando il comandante gli affidava un gruppo di passeggeri per una visita. Ma esistevano chiavi segrete di cui erano in possesso gli ufficiali e che consentivano straordinarie scorciatoie, talora anche nelle cabine di alcune belle passeggere americane e italiane perché sul *Rex*, specie nel viaggio inaugurale, era ospitata la crema del regime e dell'industria.

Attilio Bocca naturalmente aveva quelle preziose chiavi, e aprì le porte che conducevano nelle viscere della nave. In meno di cinque minuti, cedendo il passo a Tarabotto, si trovarono davanti a un Giovanni Bertamino pallido e sudato come Luigi Gallo, primo ufficiale, e a Nicola Dodero, un altro secondo ufficiale. Alle loro spalle s'erano raccolti tecnici e macchinisti, molti con stracci unti e bagnati stretti in pugno e tutti con facce tese e affaticate.

Nel locale delle turbo-dinamo, situato fra i locali delle caldaie, faceva un caldo tropicale e c'era odore di bruciato. Gli elettroventilatori non funzionavano più.

«Allora?» chiese seccamente Tarabotto.

«Un corto circuito, comandante», dissero insieme Bertamino e Gallo, impalati sull'attenti.

«Provocato da cosa?»

«Una valvola difettosa in un condotto del vapore ha causato un'infiltrazione d'acqua.»

70

«Un corto circuito come in una vecchia carretta», esplose Tarabotto.

E subito dopo sbraitò: «Vi rendete conto, signori, che questa nave è il *Rex*, il vanto della nostra Marina mercantile? Gli stranieri ci guardano. Questo stupido guasto dev'essere riparato in poche ore».

Il capitano era in preda a una rabbia fredda. I suoi occhi fissarono a uno a uno gli astanti, che rimasero colpiti dalla luce che li animava. Pareva lo sguardo di chi comandava un plotone di esecuzione e non provava alcun sentimento prima di ordinare la scarica di fucileria.

«Smonteremo le dinamo e faremo il nostro dovere», disse Bertamino.

«Lei farà molto di più del suo dovere», replicò Tarabotto con la sua voce in falsetto.

Voltò le spalle e se ne andò seguito da Attilio Bocca che si era girato giusto un attimo lanciando un breve sorriso d'incoraggiamento ai compagni.

III

Il *Rex* entrò faticosamente nella rada di Gibilterra alle 3 del mattino e gettò le ancore. L'indomani un comunicato dette notizia del guasto ai 2030 passeggeri, ma in modo così succinto che molti si arrabbiarono. Di questi, 730 scesero e cercarono altre navi per arrivare in America. Era un gesto di protesta contro gli italiani e una sessantina di americani, guidati dall'irascibile Walker, raggiunsero in treno il porto di Cherbourg, in Normandia, dove doveva attraccare il transatlantico *Europa* del Norddeutscher Lloyd. Una gran parte dei passeggeri decise di restare a bordo, di fare gite turistiche in barca, di abbronzarsi al sole.

A Brema, non appena furono dettagliatamente informati dei guai del *Rex*, alcuni funzionari proposero di aprire qualche bottiglia di vino del Reno. Secondo indiscrezioni raccolte da inservienti e poi passate al consolato italiano, i più festosi per le disgrazie del *Rex* furono Albert Heinrich, Adolf Stadtländer e Anton Brötje.

Ma Ernest Glässel, il presidente, preferì chiudersi nel silenzio più assoluto. Solo poche parole: «A costo di ripetermi... Non fatevi illusioni sui guai del *Rex*. È una brutta bestia da domare, quella nave».

Invece, Mussolini, il giorno dopo, di buon'ora, andò su tutte le furie. Fu raggiunto da una telefonata di Costanzo Ciano a Villa Torlonia, residenza romana del capo del governo. I figli udirono la sua voce alterata.

Il servizio speciale riservato, con i suoi punti di ascolto al Viminale, intercettava anche talune conversazioni telefoniche di Mussolini e raccolse e stenografò alcune briciole del dialogo. Fu Giolitti a dare vita alle intercettazioni nel 1903.

«È un sabotaggio?» chiese il Duce a Ciano.

«Non ne abbiamo le prove. E poi non essere pessimista, e soprattutto non vedere attentatori dappertutto, come i nostri beneamati sovrani.»

«E allora come te lo spieghi... La più bella nave del mondo, l'unica nave che possa rivaleggiare coi tedeschi e aspirare al Nastro Azzurro!»

«Il comandante dice che si è trattato di un corto circuito provocato da infiltrazioni d'acqua...»

«Infiltrazioni d'acqua nel *Rex*!» l'interruppe Mussolini. E ripeté la frase due o tre volte.

«Sì, infiltrazioni. Capita. Le due turbo-dinamo sono fottute. A bordo stanno lavorando per riparare il guasto, ma non credo che ci riusciranno. Sono necessari dei pezzi di ricambio, perché i collettori e le spazzole sono fusi, e oltretutto…»

«Risparmiami questi dettagli da meccanico di paese, Costanzo. Il mondo scruta il fascismo e non ci risparmia. Noi non dobbiamo mostrare insufficienze tecniche, anche se so che esistono perché l'Italia è schiacciata dal peso del suo passato contadino. Anzi, l'Italia è mentalmente tutta contadina, persino a livelli scientifici; sa prevedere solo da una stagione all'altra, ma non sa allungare il collo oltre l'orizzonte. Lavora bene con l'aratro e la zappa, ma quanto a congegni di precisione e inventiva scientifica… L'italiano non sa immaginare né costruire il futuro. È una cecità che si fa sempre più grave anche negli strati più alti della società industriale», proseguì il Duce in quella che si era trasformata in una riflessione ad alta voce. Costanzo Ciano non osò interromperlo.

Mussolini sospirò: «Però dal *Rex* non me l'aspettavo. E io che contavo che conquistasse subito il Nastro Azzurro… Ma non sarà stata l'eccessiva velocità a danneggiare quelle dinamo?»

Il ministro preferì non rispondere. E il Duce per sfogarsi andò a fare una galoppata.

Quattro giorni dopo il *Vulcania* portò i pezzi di ricambio e alcuni tecnici inviati dall'Ansaldo dettero il loro contributo. E così il *Rex* ripartì la notte del 2 ottobre. Faceva bello, sull'Atlantico. La luna argentava la nave. I passeggeri erano affacciati alle murate a respirare il profumo dell'Africa.

Il cappellano Cassani, l'indomani, convinse Frank Spellman, arcivescovo di Boston, a celebrare una messa di ringraziamento nella cappella del transatlantico, l'unico luogo, come abbiamo già detto, dove i passeggeri di ogni classe potevano unirsi in preghiera. L'ultima sera, prima dell'arrivo a New York, venne organizzata una cena con tanto di cappellini colorati, trombette e coriandoli e furono distribuiti nastri di seta blu su cui c'era scritto REX O COMPAGNIA ITALIA. Furono premiate le migliori coppie danzanti e le maschere più graziose. Una signora in abito da sera scortata da due fanciulle fece la raccolta dell'obolo a favore degli orfani dei marinai. Non mancò neppure un grottesco spettacolo di uomini che ballavano con altri uomini; erano quasi tutti intellettuali americani, più o meno effeminati, ai quali si unì il miliardario americano Vanderbilt, che aveva esagerato con il Chianti.

IV

La Statua della Libertà si mostrò per la prima volta al *Rex* il 7 ottobre e risalendo l'Hudson e il North River, il transatlantico fece tremare anche i vetri dei grattacieli con le sue sirene Tyfon. Sembravano barriti di rivincita. I battelli dei pompieri puntarono verso il cielo i getti delle loro pompe. Una flotta di piccole imbarcazioni, noleggiate soprattutto da italo-americani, fece da scorta alla grande nave. Era maestosa, altera, con i suoi fumaioli che emettevano fumate bianche. I grattacieli parevano squadrati idoli di pietra del capitalismo, mentre il *Rex* portava con sé il fascino delle splendide epopee marine, come se Ulisse fosse a bordo e affacciato alla murata.

Gli italo-americani, radunati a Battery Park e sui moli di Shore Road, gustavano il sapore della vendetta dopo tante umiliazioni. C'era un bel gruppo di emigranti che indossavano la camicia nera, convinti che Mussolini li avesse riscattati. Gli italiani hanno sempre avuto bisogno di un padre, per alzare la testa. Del resto la camicia nera affascinava anche l'America. L'allora governatore di New York, e futuro presidente, Franklin Delano Roosevelt, fu tra i primi a restarne ammaliato.

Ma quel giorno, in plancia, Francesco Tarabotto era nervoso. Mussolini lo avrebbe perdonato per quelle turbo-dinamo? Più tardi, a festeggiamenti conclusi, il comandante scorreva alcune carte segrete tenendo sulle ginocchia la sua cagnetta.

Una velina segnalava che a New York un gruppo di italiani dissidenti avrebbe organizzato una manifestazione alla partenza del *Rex* per l'Italia. La polizia americana avrebbe schierato 400 agenti a protezione dei *docks*. Si sarebbe servita anche di motoscafi per vigilare intorno al transatlantico. Tarabotto temeva un attentato. Una bomba poteva essere nascosta a bordo sfruttando l'afflusso della folla che voleva visitare la nave. Il comandante aveva ordinato ai suoi ufficiali di organizzare squadre di sorveglianza.

Ma poteva fidarsi di tutti gli ufficiali? Qualcuno, pur non dichiarandosi apertamente antifascista, si mostrava scontento della situazione in Italia e raccontava storielle sul Duce e sui suoi gerarchi. Nell'intimità del suo alloggio, Tarabotto esaminava con gli occhi della mente i volti e gli atteggiamenti di tutti gli ufficiali di stato maggiore, a uno a uno. Ecco quella smorfia quando era arrivato il telegramma del Duce. E che dire del sorriso ironico che era apparso sul volto di Adolfo d'Esposito, primo ufficiale, allorché aveva visto che molti italo-americani portavano baldanzosamente la camicia nera e taluni addirittura il distintivo del partito fascista? E quell'altro che aveva alzato le spalle e fatto uno strano gesto con le mani in segno d'insofferenza quando l'orchestra aveva attaccato *Giovinezza*?

Tarabotto non poteva cogliere il senso segreto della gestualità. In fin dei conti solo la mobilità dei volti poteva confermare i sospetti perché la riluttanza, la ritrosia del comandante a intrecciare un dialogo bloccava ogni confidenza.

Era stato colpito come fosse un tradimento, anzi un insulto alla sua persona dal fatto che un gruppo di marittimi era espatriato clandestinamente a New York. Nei labirinti della Genova più segreta esisteva un'organizzazione che favoriva l'imbarco di sovversivi sui transatlantici.[3]

Con un sospiro Tarabotto mise in ordine, battendole sulla scrivania, le pagine del rapporto, che gli era stato consegnato dal console italiano, e lo chiuse nella cassaforte. Non se ne doveva parlare. Solo Ottino doveva essere messo al corrente, in sostanza il comandante in seconda era responsabile della vita di bordo.

Non poteva fidarsi di nessuno. L'unico essere a cui in quel momento si sentiva legato, a parte Lilin, era quel mostro di cui s'illudeva d'essere il comandante. Tarabotto, come vedremo più avanti, non era un uomo superstizioso, ma era un marinaio, aveva sangue e mare nelle vene, come dicevano a Lerici. Sentiva vagamente dentro di sé la religione dei grandi spazi, del *grand large*. Ne era intessuto chiunque navigasse, però lui aveva timore di rifletterci, come quando la madre gli raccontava la Bibbia.

La religione del mare è fatta anche di contemplazione della pace lunare e di elementi in rivolta con le nuvole nerastre infilate dai fulmini durante le burrasche. Tarabotto aveva una visione rabbiosa e antica dell'andare per mare e sapeva che era inutile imprigionare ciò che appare o si sente magico in strettoie razionali.

Non erano in pochi a credere nella religione del mare, discendevano in linea diretta da marinai di altri tempi. Un tempo se ne parlava, adesso sempre meno.

Il comandante sapeva che il *Rex* era indefinibile come entità. Doveva essere una colossale solitudine, quella del *Rex*. E così era ridicolo dire ecco la mia nave, salgo a bordo della mia nave. Il *Rex* non apparteneva a nessuno, neanche all'Italian Line. Ma si doveva dire: laggiù c'è la mia nave, la mia nave ha toccato questa velocità, la mia nave ha retto bene alla tempesta... E così via.

Nell'ultima notte di luna il comandante si era affacciato dall'aletta di plancia, sul lato destro, a dritta, e vide riflessa sul mare l'ombra del transatlantico. Si sporse con il rischio di precipitare in acqua e girò la testa da una parte e dall'altra, verso la prua e verso la poppa, per scorgere la fine e l'inizio dell'ombra. Fu impossibile. Ebbe l'idea matta che il *Rex* fosse infinito come Dio. D'un tratto udì il tonfo rabbioso della prua piombata in una valle di acqua e pensò assurdamente che il *Rex* rispondesse ai suoi pensieri.

Note

1. Archivio centrale dello Stato, Presidenza del Consiglio dei ministri, *1931-1933*, «Linea di navigazione celerissima del piroscafo *Rex* della Soc. Italia».

2. Archivio centrale dello Stato, Segreteria particolare del Duce, *Fascicoli alfabetici*, fasc. 211.193 «Tarabotto Cav. Uff. Francesco, comandante del transatlantico *Augustus*».

Le motivazioni della richiesta: il comandante la vuole per tenerla nell'ufficio di bordo del transatlantico *Augustus* «sul quale prendono passaggio eminenti personalità del mondo politico Sud americano e la migliore società straniera, che con il comandante hanno continui rapporti...»

In realtà vi sono altri fascicoli personali con la stessa richiesta, evidentemente era una cosa ambita avere una foto propria con dedica del Duce. L'*Augustus* era un transatlantico prestigioso, non è un caso che il Tarabotto sia stato nominato poi comandante del *Rex*.

3. Archivio centrale dello Stato, ministero dell'Interno, Polizia politica, *Fascicoli per materia*.

6

*La vostra nave è carica. Partite. La velocità non
ha alcuna importanza, seguite la vostra rotta, arrivate salvo a destinazione con la vostra nave e
riportatela salva assieme ai passeggeri. La sicurezza è tutto ciò che io domando.*

Lettera a un comandante di Samuel Cunard,
fondatore della Cunard nel 1839

I

NEL 1922 Vittorio Emanuele aveva scelto Mussolini. Nel
1933 il presidente Hindenburg chiamò Hitler. Per la grande
industria tedesca l'unica carta da giocare era la dittatura.
Hitler diventò cancelliere il 30 gennaio. Era un uomo che
non capiva niente di mare, che non aveva mai viaggiato su
un transatlantico e nei confronti del quale un marinaio, av-
vezzo a inseguire gli orizzonti marini, non poteva che provare diffidenza e repulsione.

Hitler aveva fretta di dimostrare che la Germania aveva
voltato pagina. Le chiacchiere e le sommosse ma anche la
libertà della Repubblica di Weimar dovevano essere soffo-
cate e schiacciate dagli stivali dei reparti d'assalto delle ca-
micie brune e dei corpi scelti come le nere SS. Hitler cominciò subito a far paura all'Europa.

Ma, in mare, le belle navi dell'epoca, quale che fosse la
loro bandiera, apparivano come vere isole di felicità in
contrasto con i presagi delle democrazie che intuivano di

avviarsi verso un futuro funesto. Le dittature avevano i loro piani che, in modo diverso, ciascuna per la propria strada e con la propria identità ideologica e culturale, volevano rimodellare i popoli, estrarne il succo più ancestrale e anche più pericoloso.

In quel periodo Genova sembrava guardare estasiata i suoi transatlantici. Nel porto il *Rex* e il *Conte di Savoia* spesso si fiancheggiavano e di domenica le famiglie venivano ad ammirarli mentre dalla basilica di San Francesco, verso mezzogiorno, scendeva il suono delle campane del mare. Le chiamavano così ed erano rintocchi che il vento portava verso l'orizzonte.

Su quelle navi da sogno che lasciavano il porto dando fiato alle loro sirene, la frenesia del fascismo si stemperava nel fox trot, nel tango e nella voce rauca di Louis Armstrong che intonava *I Can't Give You Anything But Love*. Correva nelle fantasie l'immagine di Marlene Dietrich dell'*Angelo azzurro* che in giarrettiere, guepière e cilindro, a cavalcioni di una sedia, cantava *Ich bin die fesche Lola*. E in terza classe, dove si viaggiava per cambiare destino, le chitarre e le canzoni napoletane aiutavano gli animi a liberarsi del rimpianto.

Erano rare le persone che conoscevano l'esistenza della sfida per il Nastro Azzurro. E nulla era cambiato nella primavera del 1933. I tedeschi volevano conservare il trofeo. Gli inglesi intendevano riprendersi il primato di velocità perso dal *Mauretania*. Gli italiani si proclamavano nazione marinara ed erano pronti a lanciare il guanto di sfida con il *Rex* e il *Conte di Savoia*. I francesi erano in ritardo, ma preparavano il *Normandie* come fosse un'arma segreta.

Nonostante i calcoli geopolitici e le spietate manovre

finanziarie delle compagnie di navigazione che facevano da sfondo alla corsa per il Blue Riband, la lotta di quei Leviatani urlanti tra nebbie e marosi pareva risvegliare antichi canti epici. La storia delle nazioni era sporca, la storia marinara si sforzava di restare pulita e, sotto molti aspetti, leale.

Era una storia di marinai, dagli uomini di plancia all'ultimo macchinista. Una storia di Ulissidi, discendenti della stirpe di Ulisse. Si correva nell'Atlantico per guadagnare un solo nodo di velocità e talvolta meno di un nodo. Bastava poco per sconfiggere l'avversario. Ma in quel poco spesso si nascondeva la tragedia. I passeggeri ignoravano il pericolo di tutti quei congegni portati al massimo dello sforzo. Caldaie, turbine, condensatori, dinamo e pistoni potevano spezzarsi e bloccare la nave, magari danneggiarla definitivamente. E la nebbia, com'era accaduto per il *Titanic*, si addiceva agli iceberg che davano la caccia agli incauti bastimenti come immense e gelide belve silenziose.

I comandanti rivaleggiavano fra loro, quello del transatlantico *Europa* detestava quello del *Bremen* perché sapeva che si preparava a strappargli il primato ottenuto nel marzo del 1930. All'inizio della primavera del 1933, a un ricevimento dai Krupp von Bohlen, Hitler ripeté per l'ennesima volta ad Albert Heinrich, Adolf Stadtländer e Anton Brötje del Norddeutscher Lloyd che il trofeo doveva restare in mano tedesca. Poi voltò loro le spalle. Importava poco che il merito andasse al comandante del *Bremen* o dell'*Europa*.

II

Il comandante era il punto unificante di tutti gli sforzi per vincere una competizione come il Nastro Azzurro. Certo, contavano anche le qualità tecniche della nave e i fenomeni meteorologici. Ma sue erano le decisioni estreme, come il rischio della velocità eccessiva. Era la sua scelta solitaria che lo faceva entrare nella storia marinara sia che avesse sbagliato sia che si fosse pronunciato per una mossa giusta. Il suo destino si giocava in plancia dove echeggiavano e si ripetevano ordini a voce alta.

Un luogo, la plancia, che negli ocean liners è situato fra trenta e quaranta metri di altezza. Lassù tutto sembra fatale. Un infimo grado di barra a sinistra o a destra fa deviare un colosso lungo trecento metri e può essere talvolta determinante. Senza mai dimenticare l'indecifrabile volontà del colosso.

Ogni nave, ogni battello ha la sua anima, come hanno una loro anima le case, i castelli, certi alberi, moltissimi quadri e strumenti musicali e persino i mobili impregnati del divenire delle famiglie. Hitler ignorava, e forse lo ignorava anche Mussolini, un aspetto essenziale della corsa nell'Atlantico: chi contava unicamente sull'abilità del comandante poteva sbagliare. Si doveva sempre tener conto della «volontà» della nave o, come dicevamo poco fa, del suo «spirito». Leopold Ziegenbein, comandante del *Bremen*, aveva più o meno le stesse capacità di Francesco Tarabotto o di Antonio Lena al quale era affidato il *Conte di Savoia*. Ma poteva essere lo «spirito» del *Bremen*, del *Conte di Savoia* o del *Rex* a dare misteriosamente l'estremo impulso per il successo. Così avevano sempre raccontato i marinai più superstiziosi durante i turni di veglia, quando erano sicuri di non essere ascoltati dagli ufficiali.

Tutti i comandanti dei transatlantici, nei regimi dittatoriali, avevano un loro fascicolo nell'amministrazione marittima e nelle sedi dei servizi d'informazione. Si sapeva tutto di loro. Persino l'età di Lilin, la cagnetta di Tarabotto, figurava in un dossier. I transatlantici erano città galleggianti e nelle città ci sono tutte le gradazioni tra il male e il bene della società umana.

Nella vita del *Rex*, dunque, era essenziale conoscere ogni dettaglio del comandante. Al ministero delle Comunicazioni, che Costanzo Ciano diresse fino al 1934, Tarabotto era come un insetto posto sotto una lente d'ingrandimento. E lo era del resto anche il comandante Lena del *Conte di Savoia*. E non solo al ministero delle Comunicazioni: Francesco Angelo Maria Tarabotto aveva i suoi fascicoli nella segreteria particolare del Duce.

Di Tarabotto, che sarà il comandante del *Rex* dal 1932 al 1937, era annotata scrupolosamente una descrizione: fronte alta, corpo massiccio, imponente, nera la barba e neri i baffi arricciati all'insù, bocca piccola e carnosa, naso leggermente adunco. Celibe e riluttante nelle amicizie, ama la cucina genovese e frequenta, quando è a terra, alcuni ristoranti indicati con il loro nome. I fratelli e le loro famiglie nonché altri parenti non hanno fornito alle spie motivo di sospetti e perplessità. Non si ha notizia nemmeno di frequentazioni pericolose per la sicurezza dello Stato o ambigue.

Tarabotto parla con tono secco e frasi brevi, sempre in falsetto anche quando chiede un caffè. Gli ufficiali del *Rex* dicono, a bassa voce, che i suoi pensieri debbono rispecchiare gli ordini. Pensieri magri, brevi, che procedevano in linea retta.

In realtà tutto ciò che riguarda il comandante è mormorato, magari in cabina o nei luoghi di lavoro distanti dalla plancia, dove del resto Tarabotto si fa vedere di rado, ed è immancabilmente registrato dagli agenti del regime che abbondano a bordo del *Rex*. Tarabotto incute timore. Con lui non si scherza e il primo segnale di cattivo umore si coglie sulla sua bocca che rimpicciolisce e si stringe, come si dice in gergo, a culo di gallina.

Ci sono altri particolari su Tarabotto, anch'essi raccolti nelle veline poliziesche dell'epoca. Per esempio, talvolta si chiude in cabina e scrive. Cosa scriva, è un mistero.

È nato a Lerici nel 1877 e il suo rapporto con il mare è di una fedeltà assoluta. Accade che restino a fissarsi, lui e il mare, per lungo tempo, Tarabotto, dal ponte più alto del *Rex*, il Sun Deck, il Ponte del Sole, oppure dal balcone del suo appartamento genovese di Corso Italia. E il mare ricambia lo sguardo dalla sua immensità. Secondo Ernesto Isaia, che è imbarcato come groom e piccolo di camera sul *Rex*, il comandante parla all'Oceano. Muove le labbra, ragazzi! Almeno così Ernesto ha giurato davanti ai suoi compagni. È fedele al suo comandante e non rivela altro. Se delle voci su Tarabotto, in quell'anno 1933, escono dal *Rex* non sono di certo da attribuire al groom Isaia.

S'è stabilito anzi un legame tra Ernesto, che ha quasi sedici anni, e quell'uomo taciturno. Ernesto è vivace, ha imparato in poco tempo a cavarsela in inglese e in francese, porta su e giù con gli ascensori del *Rex* i passeggeri più ricchi, lord, uomini di stato, cardinali, attori stravaganti e attrici profumate, ne ascolta le conversazioni. Ernesto sa sorridere alle signore e riceve belle mance alle quali, nell'alloggio, cambia nascondiglio ogni giorno.

Tarabotto spesso gli dice che si fida solo di lui e di Lilin, la cagnetta, perché persino i suoi due attendenti, che gli manifestano tanta devozione, sono infidi, basta dire loro una cosa e subito tutto l'equipaggio ne è al corrente.

«Come fa il *Rex* a sopportare dei balordi così?» borbotta il comandante.

Biondo e svelto, Ernesto gli ricorda i tempi di quand'era mozzo sul piroscafo *Adria*. Si era nel marzo del 1896 e l'*Adria* andava a portare soccorso ai colonizzatori italiani dopo la battaglia di Adua.

«Ho sempre avuto voglia di vendicarli», ha detto una sera a Ernesto.

Gli parla in dialetto genovese perché fin da bambino Francesco Tarabotto ha conosciuto i vicoli della Superba. E gli racconta alcune storie della sua vita. La famiglia che si è subito trasferita nella città dove tutto sa di mare, anche i confessionali delle chiese. La mamma che gli stava sempre dietro, i fratelli con i quali andava d'accordo un giorno sì e l'altro no. Poi gli parla degli studi all'Istituto Nautico per ottenere il diploma di capitano di lungo corso, come aveva fatto suo nonno.

«Com'era suo nonno, signor comandante?» chiede Ernesto.

«Non raccontava mai niente, se ne stava zitto come un'ostrica, eppure di cose ne aveva viste. Non dovevo piacergli.»

Ernesto pensa che anche il comandante, di cose, deve averne viste, e come suo nonno non è che ne parli molto. Ma tace con rispetto. Ci sono ricordi del comandante che gli restano impressi e che Tarabotto narra accarezzando la sua Lilin. Come quando navigava sui velieri in rotta per il Sud America. Tarabotto rievoca tempeste, porti splendidi e infidi, grandi alberi carichi di frutti, i pescecani e i delfini. «Vedi, *figgieu*, più grossi di quelli che s'incontrano quando il *Rex* si trova nell'Atlantico.»

Ha fatto il servizio militare sulla regia corazzata *Lepanto*. Era come un porcospino di cannoni, dice. Poi, nel 1912, si è imbarcato sul *Principessa Mafalda* come secondo ufficiale e nel 1921 ha avuto il suo primo comando, proprio sul *Mafalda*. Portava il nome della figlia di re Vittorio Emanuele. Tarabotto disprezza il re ed Ernesto lo sente esclamare: «Dio mio, come è piccolino. Non è mica possente come il nostro Duce».

Più tardi Tarabotto assume il comando dei transatlantici *Duilio* e *Augustus*. È un uomo che vive a tutta forza solo nel lavoro e che, quando è a casa, sta sempre ad ascoltare la madre, la signora Maddalena. Ha mille cose da raccontargli. Cose di terra, ma lei ne parla con accento tanto dolce.

«Solo con te la voce della mamma sembra un flauto», osservano invidiosi i fratelli.

La mamma gli parla dei Borghetti, i parenti di Lerici, gli parla della Piera che ha compiuto sedici anni e s'è fatta una signorina. Gli chiede di Gino Borghetti che è il papà della Piera e che fa il maestro di casa sul *Rex*, una specie di capo maggiordomo.

«Me lo tratti bene, il Borghetti?» domanda la madre.

E lui: «Tu sai, mamma, che ci diamo del tu, ma ogni volta che lo faccio salire da me gli ripeto: guarda che se combini qualcosa, ti castigo ancora di più perché sei un parente».

«E il Borghetti cosa dice?»

«Dice: hai ragione, comandante.»

86

Ora Tarabotto è il comandante della più famosa nave italiana. Ne va fiero, ma è angosciato: il ricordo del guasto di Gibilterra lo ha marcato.

«Signor comandante, ne capitano sempre, di guasti», gli ripete Ernesto che ha parlato con marinai d'esperienza.

«Non possono capitare al *Rex. Figgieu*, in latino *Rex* significa re. E il *Rex* è il re dei mari.»

Il ragazzo guarda il comandante: dev'essere così, il *Rex* è il re dei mari.

III

Non c'è mai stata una donna che abbia lasciato una traccia o segnato la sua esistenza. Si parla poco della vita intima di Francesco Tarabotto, anche perché non se ne sa nulla. Certo, dicono a bordo, è strano che non abbia moglie e figli. Gli basterà l'affetto della madre, dicono maliziosamente gli ufficiali di stato maggiore.

Uno degli attendenti riferisce di aver visto una signora in abito da sera bianco infilarsi una notte nell'alloggio del comandante, vicino al Ponte del Sole, accanto al tiro a segno e alla galleria dello squash. A un passo dalla stazione radiotelefonica.

«Un passeggero non può arrivare all'alloggio del comandante», gli hanno replicato alcuni marinai seduti con lui in un angolo della mensa.

«Io l'ho vista», ha insistito l'attendente. «C'era la luna e il *Rex* era anche tutto illuminato.»

«Devi essertelo sognato. Figuriamoci se quello lì ha una donna.»

Invece, la donna c'è.

Ernesto Isaia deve averla portata su e giù con l'ascensore chissà quante volte. È una nobildonna francese, una contessa, F. de N., un gran nome.

È salita a bordo per la prima volta a Villafranca assieme ad altri francesi. Poi, a pranzo, la sera, era seduta alla tavola del comandante, proprio accanto a lui, e ha cominciato a scherzare. Tarabotto portava la divisa di gala ed era splendido. Le ha risposto con qualche risatina diventando tutto rosso e per tutto il pranzo non le ha mai tolto lo sguardo di dosso.

Hanno ballato insieme un fox-trot e poi un valzer composto dal maestro Vittorio Giuliani che per qualche mese ha diretto l'orchestra della prima classe ed era il fratello del secondo commissario di bordo. La signora francese ha chiesto il bis del valzer che si chiamava *Valzer spensierato*.

Le sue parole dicono:

Se vuoi vivere senza pensieri
dalle donne ti devi guardar
sono vipere dagli occhi neri
con lo sguardo ti sanno incantar.

Poi c'è stato un tango. Tarabotto non si è rivelato un grande ballerino, ma la contessa gli stava allacciata come un fiore carnivoro. Sembrava che il resto del mondo non esistesse. Alla fine la contessa si è complimentata con il maestro Giuliani: «Ho vissuto momenti indimenticabili. *Merci*».

È apparsa altre volte sul *Rex* o tornando da New York o salendo a bordo, invece che nella rada di Villafranca, a Nizza e a Cannes. Non s'è mai saputo fino a che punto questa bella creatura fosse importante per il comandante del *Rex*. Bruna, alta, un che di orientale nel volto. Nel suo passato figuravano, oltre al marito, molti nomi di intellettuali. Sembra improbabile che Tarabotto le abbia concesso di raggiungerlo nel suo alloggio. Piuttosto dev'essere accaduto il contrario. Tarabotto aveva la possibilità di servirsi, con maggiore facilità degli altri ufficiali di stato maggiore della miracolosa chiave o passe-partout che consentiva di prendere spericolate scorciatoie tra le scale e i compartimenti del *Rex*.

D'altronde non poteva del tutto essere accantonata l'ipotesi che, osando il tutto per tutto, il comandante avesse fatto salire la sua amica solo qualche istante per mostrarle il suo alloggio. Una sorta di prova d'amore. Tra i suoi privilegi era compresa la facoltà di far salire in plancia tutte le persone di suo gradimento.

IV

Il 19 maggio, a sera, nessuno pensava a ballare il tango sul *Conte di Savoia*. La bella prua del transatlantico rivale del *Rex* sprofondava e risaliva coperta di schiuma. Il mare era a forza nove. L'Atlantico s'era improvvisamente incattivito. Era l'ultimo giorno di navigazione verso New York ed era calata una notte senza stelle. Il comandante Antonio Lena aveva deciso di restare in plancia.

Molti passeggeri s'erano chiusi nelle cabine e quei pochi che si avventuravano nei saloni avevano il volto tirato e pallido. I bar erano deserti, neanche gli americani vi avevano messo piede e l'orchestra di prima classe aveva smesso di suonare. Il *Conte di Savoia* se ne andava silenzioso e illuminato sotto gli schiaffi violenti del mare.

Quando gli avevano dato l'ordine di battere il record del transatlantico tedesco *Europa*, che resisteva dal marzo del 1930, il comandante Antonio Lena aveva detto semplicemente: «Ci proverò».

«Il Duce ci tiene», aveva esortato il ministro Costanzo Ciano.

Poi, con fare sornione: «Ha un debole per il *Conte di Savoia*, gliel'ho già detto, mio caro Lena. Il *Rex* di Tarabotto, dopo l'incidente di Gibilterra, non è nelle sue grazie».

«Le prometto che farò tutto il possibile», aveva ribadito il comandante rispondendo con un saluto militare alla mano alzata nel saluto fascista del ministro.

Antonio Lena non amava Francesco Tarabotto. In pubblico si salutavano, si scambiavano battute, erano impeccabili. Ma si detestavano.

Erano due caratteri e due fisici opposti. Magro, di media statura, il volto affilato e i capelli radi, Lena pareva un nobiluomo in vacanza anche quand'era in plancia. Il suo alloggio traboccava di libri e giornali. Recitava brani di Shakespeare e di Dante. Conosceva addirittura Chaucer, poeta del Trecento. Parlava l'inglese senza alcun accento ed era molto amato dalle donne, soprattutto per la sua conversazione.

Era un comandante di stile diverso, un gentleman dell'Oceano, come lo aveva definito la miliardaria americana Doris Duke.

Francesco Tarabotto era in tutto e per tutto un marinaio.

Lena poteva anche abitare in un castello della campagna inglese. Tarabotto, se restava a terra più di quindici giorni, cominciava a morire spiritualmente, un po' come uno squalo tirato fuori dall'acqua. In sostanza, questa era la differenza fra i due uomini.

Il *Conte di Savoia* era elegante come il suo comandante, forse mancava alla nave quella personalità, quella grinta che possedeva il *Rex*. Era un transatlantico veloce, forse più veloce del suo rivale genovese, era ben costruito, più moderno, ma restava un transatlantico come gli altri. Non possedeva l'alone di un *Mauretania*. Pareva che nel suo destino non fossero scritte grandi imprese. E il suo comandante non lo sapeva, non lo aveva intuito. Forse lo doveva aver sentito la sua nave, ciò era possibile, per quelle arcane presenze sperdute, a bordo, nei luoghi più inaccessibili.

Ma Antonio Lena sentiva il fascino della sfida, proprio come un inglese e aveva anche un gran rispetto per gli uomini. E se provò a mettercela tutta per conquistare il Nastro Azzurro, non lo fece di certo per obbedire a Costanzo Ciano o per ingraziarsi Mussolini. Lo fece per gusto sportivo, perché il Nastro Azzurro era un traguardo, stava ad aspettarla alla fine del viaggio e doveva essere portato via al transatlantico *Europa*, non perché fosse una nave tedesca, ma perché aveva un trofeo degno d'essere riconquistato da un marinaio.

Da Villafranca a Gibilterra il *Conte di Savoia* ebbe una media di 28,91 nodi, un nodo in più dell'*Europa* che il 20 marzo del 1930 navigava sulla rotta del Nord, più insidiosa.

All'ora dell'aperitivo, dopo aver lasciato Gibilterra, il comandante apparve più mondano del solito. Era il suo stile. Ma in realtà era preoccupato perché l'Atlantico era imprevedibile e maligno, quella sera di maggio, e i messaggi delle altre navi indicavano brutto tempo. La rotta del Sud verso il faro galleggiante di Ambrose, il quale annunciava New York, era più lunga di un centinaio di miglia rispetto a quella che partiva da Cherbourg.

Antonio Lena era un marinaio che non dimenticava mai il benessere dei suoi passeggeri. L'Oceano era troppo infuriato.

«Azionate i girostabilizzatori», ordinò verso le 22 del 19 maggio.

Erano congegni situati a prua del transatlantico, costavano una montagna di dollari e avrebbero dovuto consentire di affrontare le onde senza troppi scossoni. Si trattava di un sistema anti rollio. C'erano come tre enormi trottole che si muovevano e s'inclinavano a seconda delle circostanze. Ma se il mare era troppo agitato, come accadde quella notte al *Conte di Savoia*, entravano in azione con eccessiva lentezza producendo un effetto contrario: la nave sbandava di più e la velocità diminuiva.

Il comandante Lena non aveva mai utilizzato i girostabilizzatori e non poteva immaginare l'effetto negativo. Navigò con grande perizia, i 130.000 cavalli del *Conte di Savoia* c'erano tutti, si manifestarono con tutta la loro forza. Lena perse la sfida per soli 34 centesimi. Il record tedesco era di 27,91 nodi. La media della nave italiana fu di 27,57 nodi. Il comandante avrebbe dovuto infischiarsene dei passeggeri. Se non avesse azionato il sistema antirollio, avrebbe cantato vittoria. Ma era un gentiluomo dell'Oceano.

Antonio Lena non si rimise più da quell'episodio, anche perché il *Bremen*, tra il 27 giugno e il 2 luglio dello stesso anno, confermò la superiorità del Norddeutscher Lloyd. La media per il Nastro Azzurro salì a 27,92 nodi. Per Hitler fu una buona giornata. Gli inglesi, masticando amaro, presero in giro i levrieri italiani, com'erano chiamati in Italia i nuovi transatlantici: «I cani, semmai, sanno solo nuotare», ironizzarono sui giornali.

V

«Il *Conte di Savoia* mi ha molto deluso. Tu sembravi sicuro del suo successo», disse Mussolini a Costanzo Ciano.

«Tutto lasciava sperare bene, aveva addirittura vinto il record mondiale di velocità con 29,43 nodi nelle prove in mare del 1932 e se non ci si fosse messo il mare cattivo, poi quel maledetto sistema antirollio...»

«Lascia stare i dettagli», lo interruppe Mussolini.

«È un dato di fatto», replicò il ministro delle Comunicazioni stuzzicandosi nervosamente i baffi.

«Ha deluso non solo me, ma anche casa Savoia. Maria José c'è rimasta male, aveva battezzato la nave, aveva detto che era la sua nave, c'è un suo busto in bronzo a bordo. Secondo me non è stata sfortuna, ma imperizia. I rapporti che mi hai mandato parlano chiaro.»

«Antonio Lena è un bravo comandante, io l'avrei fatto anche riprovare, ma lui ha rifiutato.»

«Ha rifiutato? Sono io che non gli consento di riprovare. La conquista del Nastro Azzurro è un successo degno dei nostri giorni. Si deve vincere. Lo esigo. E poi se questo Lena ha rifiutato, significa che non se la sente, che non ha la tempra. Proviamo con il *Rex*. Non ricordo più il nome del comandante...»

«Tarabotto, Francesco Tarabotto. Vuole rifarsi della figuraccia del guasto nelle acque di Gibilterra.»

«Ah, già, il guasto…» disse Mussolini rannuvolandosi.

«Ma è un comandante ambizioso, di poche parole, sulla sua fedeltà al fascismo non c'è niente da dire ed è capace di tutto pur di ottenere il Nastro Azzurro.»

«Dagli più soldi per il combustibile. Deve capire che se non riesce, dovrà lasciare il ponte di comando del *Rex* e tutti i ponti di comando d'Italia.»

«Glielo dirò, ma se gli facciamo troppa paura…»

«Deve mettersi il pepe al culo, il tuo Tarabotto! Abbiamo vinto la coppa Schneider con i nostri idrovolanti. E tu sai che Balbo sta preparando un'altra trasvolata per gli Stati Uniti. Loro esportano crisi economiche, il fascismo deve esportare successi. Chiaro?»

7

Tuttavia, in quella lotta, una silenziosa fratellan-
za legava, nel profondo, Rivière e i suoi piloti.
Erano uomini dello stesso ambiente che provava-
no lo stesso desiderio di vincere. Ma Rivière ri-
corda altre battaglie da lui ingaggiate per la con-
quista della notte...

ANTOINE DE SAINT-EXUPÉRY, *Vol de Nuit*

I

IL 19 luglio 1933, la squadra atlantica d'Italo Balbo, forma-
ta da idrovolanti S 55 X, sorvolò Broadway e Manhattan
che tra l'Hudson e l'East River luccicavano al sole del tramonto. Erano le 19.30, ora locale, e New York aveva ancora
molta luce. Quando sorvolò il porto, il generale lasciò la
cloche al suo amico Stefano Cagna, grande pilota. Toccava-
no a lui le manovre di avvicinamento e di ammaraggio.

C'erano almeno cento aerei americani che turbinavano
festosamente intorno alla formazione italiana. Davanti on-
deggiava al vento il dirigibile *Akron*. Altri due dirigibili
s'erano posti ai fianchi. E un autogiro trascinava un lungo
striscione di benvenuto: viva Balbo e i figli della grande
Italia. Le stesse parole di uno striscione quando erano arrivati a Chicago.

Stefano Cagna non poteva distrarsi.

Ma udì Balbo che diceva: «Guarda laggiù, sulla sinistra,
ecco il *Rex*, Stefano. È la nave più grande, accidenti che

fianchi maestosi, tutta bianca in alto e tutta nera nella sua parte inferiore... I colori di certi squali giganti. Bella, veramente bella. Ha issato il gran pavese, come tutte le altre navi... Mi senti Cagna o no?»

Anche stavolta Cagna non rispose e non guardò il *Rex*. Non poteva essere distratto dalle parole del suo ministro dell'Aeronautica. Un ministro miticamente fascista che già sentiva sotto il braccio il bastone di maresciallo dell'Aria. Questo almeno si diceva a Roma. Sempreché Mussolini non cambiasse idea. E poi Cagna se lo poteva permettere di non rispondere. Era uno dei fedelissimi di Balbo e aveva come giustificazione il fatto che i motori Isotta Fraschini Asso strepitavano più del solito. Forse le candele erano andate. Il senso di alcune frasi gli sfuggiva. Era sceso con l'*I-Balb* a cinquecento metri di quota e per far piacere al ministro aveva di nuovo sorvolato il *Rex*. Ora doveva scendere ancora.

Il vento si avventava contro la carlinga rabbiosamente. A Stefano importava ben poco del *Rex* in quegli istanti. Doveva mantenersi in contatto con le altre squadriglie, con Giordano, Questa, Biseo, Pellegrini... Era un momento critico. Pensa che figuraccia se avesse fallito la manovra. Gli italiani erano preoccupati per la spregiudicatezza dei giornalisti americani. La libertà di stampa portava aria buona, aria di alta montagna, ma nello stesso tempo, come diceva Italo, era come andare a passeggio sul ghiaccio. Qualcosa di sbagliato e i giornalisti spiattellavano tutto sui giornali.

Fu allora che Balbo, dopo aver rivolto ancora un'occhiata a Stefano, alzò le spalle e si chiuse in uno dei suoi lunghi e impenetrabili silenzi. Erano silenzi pieni di parole e di immagini e sovente tutto ciò che gli passava per la testa finiva in appunti, abbozzi di un libro, fogli sparsi che scomparivano a una ventata di cattivo umore quasi fossero foglie secche.

Gli amici se n'erano accorti. Dicevano: «Il generale è fra le nuvole». Lui attendeva quei momenti intimi (e di vera solitudine con l'«altro» Italo, l'Italo che tutti ignoravano) con sollievo, con speranza e con tutti i sentimenti più strani che un uomo del suo tipo poteva provare. Se ne stava zitto a inseguire le proprie idee. Capitava sempre più spesso. Apparentemente Balbo non era cambiato, conservava quell'aria da simpatico rodomonte, insomma non è che si fosse cucito le labbra, che si fosse rinchiuso in una cassaforte, questo, no: la realtà quotidiana c'era. Eccome! C'era la famiglia da cui si faceva stringere, lui pieno di storie di tenerezza, c'era la moglie adorata e c'erano i figli più che adorati, aveva un'amante esigente che doveva far ridere con le sue battute perché gli piaceva l'orgasmo tra gemiti e risate; e poi il generale doveva dare ordini, esaminare dossier, mandare avanti la regia aeronautica, subire le cerimonie del fascismo, subire Mussolini.

Era arrivato al culmine dell'avventura atlantica ed era felice d'essere lontano da Roma. La figura di Benito sembrava sfocata, grazie a Dio. Quell'uomo era diventato la causa più frequente dei suoi scatti d'ira. Accidenti a lui. Da anni ormai, per sfotterlo, lo chiamava «presidente» o «capo», raramente Duce e quando era costretto a dire Duce, passava su quelle lettere la mostarda piccante dell'ironia alla quale Mussolini, uomo sensibile, reagiva con un'occhiataccia.

Alle sue spalle, intanto, gli ospiti dell'S 55 X, che in considerazione dello spazio stavano in piedi o accucciati, si abbandonavano a grida di richiamo e di ammirazione. New York è più bella di Roma, disse qualcuno. È geometrica, osservò qualcun altro. Sembra che i grattacieli ti vogliano infilare con le loro punte, esclamò un giornalista italiano che era salito a Chicago.

Balbo era sempre rifugiato nel silenzio durante la lenta discesa su New York. Gli sembrava di volare accanto all'S 55X. E di tanto in tanto, dopo aver scosso la testa, tornava a bordo, alla realtà, osservando un'abile manovra di Cagna per sfruttare il vento e fissando a uno a uno i ritratti della madre, della moglie e dei figli, compreso il più piccolo, Paolo, che lui chiamava Garibaldi per i capelli biondi arruffati, che erano sistemati, a destra, sul cruscotto del suo aereo. E poi, via, tornava con l'«altro» Italo.

Dopo tanti discorsi... a Montreal, a Chicago – pensava – *e adesso a New York... Neanche Lindbergh sei anni fa ebbe un trionfo così in America... Discorsi... discorsi... un tempo quando parlavo in pubblico non facevo alcuno sforzo perché ero così sicuro di essere nella verità... mi sembra anzi che lo scrissi un giorno del 1922 nel mio diario... Sì, ero così sicuro d'essere nella verità che non potevo non essere fascista e quando parlavo alla gente era come se parlassi con me stesso, come se volessi sempre più convincermi... la propaganda era il bisogno istintivo di chi era sicuro della propria verità e l'Italo di allora che mi appare sempre più lontano era un giovane uomo sostenuto da certezze... Oggi... oggi sono diventato veramente una specie di macchina da discorsi e la convinzione, la fede è andata a farsi benedire...*

«Eia, eia alalà!»

Chissà per quale impulso Italo Balbo pronunciò ad alta voce il grido di guerra ideato da D'Annunzio. I suoi passeggeri, mai immaginandone il contesto pessimistico e autocritico, risposero: «Eia, eia alalà, generale». Stefano Cagna, che teneva salda la cloche e non perdeva di vista i comandi, sorrise, guardò Balbo per una frazione di secondo e gridò anche lui Eia eia alalà, aggiungendo *marshal*. In inglese. Balbo, che conosceva abbastanza quella lingua, gli sorrise. Certo, in aeronautica il generale è un *marshal*.

E rapidamente, come se si avvolgesse in un mantello, tornò ai suoi pensieri.

Il capo adesso vuole che sia il Rex *a vincere il Nastro Azzurro... il capo vuole, il capo decide, il capo si crede al centro del mondo, il capo fa controllare le mie telefonate, il capo... il capo... il capo... bisognerebbe metterlo da parte, il capo... chi me l'ha detto? De Bono? Grandi? Insomma Mussolini ha confidato che sarei il solo capace d'ucciderlo... Già, in casi estremi, chissà...*

Ucciderlo?

Ucciderlo no, ci sono legami ancora intatti...

Ogni volta che parlo in pubblico debbo citarlo... il Duce, il Duce... e la lettera D dev'essere più maiuscola di ogni altra maiuscola, la maiuscolissima fra tutte le lettere maiuscole di questo mondo... una D che deve far pensare all'Empire State Building, quel grattacielo che abbiamo appena sorvolato...

Hai capito? Da tempo s'è messo a far sorvegliare le mie telefonate... a una a una, tutte quelle con De Bono,

con Quilici, con Grandi, con mia moglie, con i miei figli,
con la mia contessa che io a sentir le sue spie ricevo in una
tenda con pelli di leone e di orso per terra... si scopa me-
glio, mi stuzzica la fantasia... e allora? E D'Annunzio in-
vece lo lascia fare, quel drogato di merda!

Con una grande virata, seguita a turno da tutti gli altri idrovolanti, Stefano Cagna mise l'S 55 X in posizione di ammaraggio. Tutta la formazione passò a trecento piedi d'altezza su una folla enorme e agitata, poi tornò indietro come se volesse riprendere quota e infine si preparò a scendere sull'Hudson.

«Generale», urlò Cagna, «mi sembra una folla, come dire? più folla di quella di Chicago.»

Balbo non rispose, ma puntò il binocolo per qualche attimo.

«Hai ragione», disse. «È una folla più folla di Chicago. Sono veramente tanti.»

E se ne andò di nuovo, come se quell'Italo puramente mentale meritasse tutti gli istanti preziosi del momento.

In una città come New York – pensò Balbo – l'individuo
è costantemente annegato nella massa... la massa è ele-
mentare, primitiva, fresca e conserva uno slancio e una fe-
de che gli effetti corrosivi dello scetticismo non possono
colpire... la massa ha bisogno di credere... ha bisogno di
esaltarsi... Sono parole che dovrò scrivere nel diario di
questa nostra impresa... parole che mi fanno sempre pen-
sare a Mussolini...

100

Sarà geloso del mio... del nostro successo americano...
non potrà sopportare il fatto che a Chicago abbiano battez-
zato una strada con il mio nome, Generale Balbo Avenue...
e nemmeno che i Sioux mi abbiano proclamato loro capo
con il nome di Aquila Volante e m'abbiano messo in testa
una corona di piume, ai suoi occhi tutto deve essere propa-
ganda, elogio per il Duce... Anche per il Rex *sarà così... il*
Rex *è una cosa sua, se vince il* Rex, *dice, vince Mussolini.*
La mia avventura, io non gliela lascio, cada il mondo! Lui
non può capire che c'è anche lo spirito d'avventura del sin-
golo e che il fascismo come si è ridotto oggi non c'entra
nulla con la nostra trasvolata... Nel Nastro Azzurro magari
c'entra più Melville... Chissà se Benito lo ha letto.

Le masse di qui e in Italia sognano di volare e ogni pi-
lota interpreta la volontà inespressa della folla e di tutte le
folle e di questa folla che ci aspetta a New York...

E nel cuore di ogni pilota che trionfa sull'Oceano e nel
cuore di ogni comandante di nave che ha un contatto molto
più intimo con l'Oceano risuona sicuramente l'ordine im-
perioso della nostra civiltà moderna... Imperioso? Sta a
vedere che penso con le stesse parole di Mussolini... Una
civiltà ha come scopo l'abolizione delle distanze e l'unione
sempre più effettiva della famiglia umana su tutta la diste-
sa del globo...

No... Mussolini pensa al fascismo, al suo fascismo... se
il Rex *dopo i nostri trionfi si porterà a casa il Nastro Az-*
zurro, sarà una vittoria della nostra Marina come la coppa
Schneider è una vittoria della nostra Aviazione... Certo il
nome del capo ha la sua importanza ma il capo, l'ideatore
di questa formazione vincente sono io, non è Mussolini che

se ne sta seduto alla sua scrivania con la sua smania di at-
teggiarsi ad arbitro dell'Europa...

È geloso, non c'è altra spiegazione. Il mio colonnello
Martelli da Roma mi fa sapere che lui lo assilla di telefo-
nate, dov'è Balbo? che fa la squadra di Balbo? dove si tro-
vano gli idrovolanti in questo momento?

Ha messo addirittura una carta geografica con le ban-
dierine nel suo studio... ma da quello che dice Martelli è
sempre più imbestialito... Se potesse avere un razzo alla
Giulio Verne verrebbe qui in America e mi allontanerebbe
dalla cloche... Il tuo non est volo sportivo, scrive in un te-
legramma... Ma vattela a prendere nel culo! Certo che è
anche un volo sportivo... vuole che indossiamo la camicia
nera a ogni momento e che Roosevelt gli mandi le felicita-
zioni e che una strada porti anche il suo nome... Ma che
gli venga un accidente!

Poi, ad alta voce: «Cagna, ricordami di telefonare al comandante del *Rex*». Balbo allungò una mano verso il ther-
mos pieno di caffè. E Cagna gli disse brutalmente: «Ma
stiamo atterrando, generale. E tu vai a pensare al caffè! Su,
adesso tocca a te pilotare».

Balbo non era un grandissimo pilota, ma aveva la stessa
esperienza dei trasvolatori che comandava, a parte Cagna
che era un asso. Il generale prese la cloche ed esclamò con
una bella risata «New York è nostra, ragazzi». L'*I-Balb* am-
marò elegantemente seguito dagli altri S 55 X.

E New York, effettivamente, fu tutta per Italo Balbo e
Italo Balbo fu tutto per New York. E tra la folla c'era anche
una parte dell'equipaggio del *Rex*.

II

Molti dissero che dopo l'avventura oceanica Italo Balbo era cambiato. Che aveva paura della morte. Non si sa altro. Si sa invece che il *Rex* fu celebrato al di là del fascismo, quasi a dispetto del fascismo. Così accadde per Italo Balbo. Era della stessa razza dei De Pinedo e dei Nuvolari. Non era un uomo di stato. Aveva un'indipendenza culturale. Figurava tra i personaggi che incarnarono lo spirito degli Anni Trenta. In Italia e all'estero. Balbo conquistò una risonanza internazionale per le sue azioni, i piloti americani dicono ancora «fare un Balbo» per indicare una certa manovra, divenne un mito come il *Rex*.

Il pilota, poeta e scrittore Saint-Exupéry, creatore del *Piccolo Principe*, avrebbe saputo cantare le sue gesta e, pensiamo, l'impresa del *Rex* e di tutte le navi che si batterono sull'Oceano per vincere il Nastro Azzurro.

Sento il bisogno di soffermarmi su Italo Balbo. Pochi si domandarono in quei giorni esaltanti dell'estate del 1933 e più tardi, quando la guerra scoppiò e Balbo era governatore della Libia, quale fosse la vera tempra storica del maresciallo dell'aria. Quale fosse il suo valore.

Italo Balbo nacque a Ferrara nel 1896 e morì incenerito nell'incendio del suo S 79 a Tobruk nel 1940, all'inizio delle ostilità. Certo, fu un esponente di primo piano del fascismo e le sue squadracce terrorizzarono la popolazione. Pare che avesse inventato addirittura la punizione con l'olio di ricino.

Poi il fascismo di Balbo si trasformò. Anzi, il fascista si placò e si delineò al suo posto un personaggio tra l'avven-

turiero e il mistico dell'innovazione. Dopo essere stato nominato, nel 1926, sottosegretario per l'aeronautica e quindi
ministro nel 1929 con il grado di generale di squadra aerea,
egli capì l'importanza dell'Aviazione nella guerra moderna. Avrebbe voluto come pilota possedere la sregolatezza e
il genio di un De Pinedo o di un Cagna, ma si appassionò al
suo ruolo. Ottenne la fama ideando crociere aeree colletti-
ve che a quei tempi dimostrarono la possibilità di estendere il trasporto aereo: crociera nel Mediterraneo Occidenta-
le (1928) con 51 idrovolanti comandati da De Pinedo,
crociera nel Mediterraneo Orientale con 40 aerei che arrivò
fino al Mar Nero. Balbo, a Odessa, fu accolto trionfalmente dalle autorità sovietiche. Poi ci furono la trasvolata atlantica Italia-Brasile del dicembre 1930-gennaio 1931 con 12
idrovolanti e infine la trasvolata dell'Atlantico del Nord del
luglio-agosto 1933 con 24 idrovolanti.

Il primo aereo dei fratelli americani Wright aveva volato
per 266 metri nel 1903. Solo trent'anni prima delle trasvo-
late di Balbo che per di più non erano azioni singole. In un
certo senso la trasvolata di Lindbergh fu più facile.

Così si può immaginare il fascino di cui il generale e i
suoi piloti erano aureolati in ogni angolo del mondo. Balbo, al suo rientro da New York, fu nominato maresciallo
dell'aria, ma per ordine di Mussolini, dal quale era temuto,
fu inviato in Libia. In sostanza, esiliato.

E lì rimase fino alla morte, avvenuta nel cielo di Tobruk
per colpa della contraerea italiana che colpì il suo Savoia
Marchetti 79 in fase di atterraggio. Balbo fu uno dei primi, se
non il primo, a denunciare l'impreparazione delle truppe e le
carenze in mezzi e tecnologia dell'armata italiana in Libia.
Per molto tempo si pensò che il suo SM 79 fosse stato col-

pito di proposito. Balbo aveva voluto disfarsi del Duce, questi gustò il sapore della vendetta più tardi. Troppo semplice.

Dopo cinquantasette anni si seppe da un protagonista cosa avvenne quel 27 giugno 1940, venerdì.

Ecco il racconto del capopezzo Claudio Marzola, del 202° Reggimento artiglieria, anche lui di Ferrara come Balbo.

«Macché ordine di esecuzione, quale congiura, quel giorno in batteria non c'era nemmeno un ufficiale, io avevo vent'anni ed ero un ragazzino spaventato dalla guerra. Era dall'alba che stavamo subendo incursioni di bombardieri inglesi. Solcavano il cielo ogni quarto d'ora. Abbiamo visto due aerei sulla stessa rotta utilizzata dai nemici, si vedevano male, né c'erano segni di riconoscimento, così abbiamo aperto il fuoco. Diedi io l'ordine di sparare a raffica con le nostre tre mitragliatrici Breda con proiettili da 20 millimetri traccianti, esplosivi e perforanti. I primi proiettili ci diedero la certezza che avevamo colpito uno degli aerei. Quando si avvicinò lasciando una scia di fumo, solo allora riconobbi la sagoma del SM 79. Era spacciato, ci passò sopra e subito cadde poco lontano incendiandosi. Quando recuperammo qualche giaccone scoprimmo che avevamo ucciso Balbo. Fu una tragedia. L'omicidio di regime? Una stupidaggine, una vera sciocchezza.»

Traggo queste righe dall'intervista a Claudio Marzola scritta da Mario Fornasari per *Il Resto del Carlino* del 26 agosto 1997. Ma tutte le supposizioni sul complotto non sono sfumate. Una di esse si basa sulla testimonianza di un ufficiale dell'incrociatore *San Giorgio*, nave alla fonda trasformata in struttura antiaerea, il quale riferì durante un interrogatorio in Svizzera di aver ricevuto l'ordine di far fuoco su quel velivolo malgrado fosse italiano. Vennero poi alla luce svariate ricostruzioni. A sparare all'impazzata fu proprio l'incrociatore *San Giorgio*, sostennero in molti. Del resto la relazione del generale Egisto Perino richiesta da Mussolini parla di 280 colpi esplosi. Un uragano di fuoco su un aereo «inglese» che non aveva alcun bisogno di scendere di quota, di mettersi in bocca ai cannoni italiani!

Folco Quilici, figlio di Nello, famoso giornalista che morì assieme a Balbo, appresa la confessione di Marzola, ha così commentato: «Ora so, ma non mi basta. Fu un errore clamoroso e stupido e questo Marzola spero di non incontrarlo mai. Balbo, mio padre e gli altri furono abbattuti da una mitraglietta quasi innocua. Marzola non poteva non conoscere la sagoma del trimotore SM 79, detto il Gobbo: era unica e inconfondibile».

Se, a dispetto di tutte le testimonianze chiarificatrici, il mistero sulla fine di Balbo permane è anche un segno della validità del mito Balbo. Un uomo che credeva negli Anni Trenta e quegli anni credevano in lui. Forse era solo tutta illusione: la velocità, il sapore della vittoria e della conquista, la ventata travolgente delle masse acclamanti. Fellini ha celebrato il decennio con l'immagine splendente del *Rex* nel film *Amarcord*. Un'immagine vitale. Forse le luci del transatlantico e di tutti i transatlantici in navigazione preparavano il mondo all'immenso buio del massacro.

Gli Anni Trenta, pur avendola alla porta, non credevano alla morte, cominciarono ad accorgersi che era vicina, che era nell'aria, ai primi segni della guerra civile spagnola. Più che temerla, Italo Balbo la riteneva frustrante.

«Che cosa stupida è la morte!» esclamò un giorno.

8

Giasone, ancora bambino, venne mandato sul monte Pelio dal padre che voleva sottrarlo alle minacce di morte del fratellastro Pelia. Allevato da un centauro, all'età di vent'anni Giasone chiese la restituzione del trono paterno. Il fratellastro Pelia promise che glielo avrebbe ceduto a patto che riportasse dalla Colchide il Vello d'oro del divino ariete su cui era fuggito Frisso, un eroe beota. Giasone accettò la proposta in cui si celava la speranza che morisse nell'impresa. Raccolta una schiera di nobili compagni e fattasi costruire la nave Argo, *navigò alla volta della Colchide. La spedizione ebbe successo: Giasone riuscì a impadronirsi del Vello d'oro uccidendo il drago che lo custodiva.*

Il mito di Giasone è stato trattato da Pindaro, Euripide, Apollonio Rodio e Valerio Flacco

Dal diario del comandante Tarabotto

Genova, 9 agosto 1933, Anno XI dell'Era Fascista

Ho passato una brutta notte. Alle 9 è salito su il portiere, Angelo, con la posta. Mi ha fatto il saluto fascista e ha detto: buongiorno, comandante Tarabotto. Sa che ci tengo al saluto fascista. Una volta diceva signor Tarabotto, poi cavaliere Tarabotto, finalmente s'è deciso a dire comandante. Un napoletano...

C'era una lettera del ministero, una cartolina della Piera B., *Il Secolo XIX...* Non ho aperto il giornale. Voglio la mente libera, anche se mi piace molto seguire quello che fa il nostro Duce.

Dalla finestra di casa ho guardato il mare. Scintillante. Piatto. Una leggera brezza da Nord-Est. Genova era illuminata dal sole come una bella creatura distesa sulla spiaggia. Poi ho cercato con lo sguardo la mia nave. Mi fa venire i brividi ogni volta che la vedo. Ho preso il binocolo e l'ho puntato verso la stazione marittima. Completavano il carico. Tanta gente, tante formiche viste a distanza.

Il *Rex* è tutto pulito. Riverniciato. Carena liscia come la pelle di un delfino. Deve sentire (a modo suo!!!) che l'avventura, la grande avventura, sta per cominciare. Debbo annotare con cura e freddezza ogni momento di questo viaggio. Tutti sono sicuri che io sia un uomo freddo, il comandante di ghiaccio, dicono. Se immaginassero quello che mi frulla nel cervello, cambierebbero subito opinione. Ma che lorsignori credano alla freddezza di Tarabotto Francesco di Lerici, nato in faccia al mare, classe 1877. Può fare comodo. Ciò non toglie che questo viaggio potrà trasformarsi in un'impresa o in una sciagura personale.

Stanotte mi sono svegliato di soprassalto. Ero tutto sudato. Avevo fatto un sognaccio. Un incubo, una cosa di questo genere. Ma non ricordavo tutto… Solo che ero caduto in mare e non sapevo nuotare. Le onde mi sbattevano sotto, sempre più sotto. Non respiravo più. È stata questa la sensazione terribile. Quando ho ripreso conoscenza [*sic*], annaspavo, non avevo più fiato, soffocavo. Un cattivo auspicio? Gli antichi romani ci credevano. Ho letto di un tedesco [*sic*] di nome Fraud o Freud che dà una spiegazione e un significato ai sogni. Storie. I sogni sono sogni e basta.

Mia madre me lo ha detto tante volte: Ceschino, non credere a quello che hai sognato, nessuno capisce né capirà mai quello che succede nel cervello dell'uomo. Dio solo sa quello che accadrà. Dolce mamma mia...

... Ho messo il guinzaglio alla Lilin, che stamattina non la finiva mai di abbaiare, come del resto fa sempre quando siamo in procinto di partire, e sono andato a piedi, girovagando qua e là, fino al *Rex* che si trova a Calata Zingari. Molta gente a Genova ormai mi conosce. Buongiorno, comandante. Lo conquistiamo questo Nastro Azzurro, comandante? Vuole una rosa, signor comandante? Ogni volta che passo, la fioraia che sta all'angolo tra via Casaregis e Corso Italia me la offre. Come sempre ho detto: no, grazie. Non potevo salire a bordo con una rosa in mano. Figurarsi le chiacchiere... Ce ne sono già troppe.

Sono salito a bordo alle 10.30. Ho preso l'ascensore (ottoni lucidati, bravi!) e mi sono chiuso subito nel mio alloggio. Non intendevo farmi vedere, anche se sapevo che tutti gli ufficiali presenti erano al corrente del mio arrivo. Chiacchiere... Chiacchiere... Non fanno altro che chiacchiere.

A pranzo ho mangiato con Ottino e Risso [*Giuseppe Alberto Ottino, comandante in seconda, e Luigi Risso, direttore di macchina.* N.d.R.]. Ho tenuto la bocca chiusa, non ho detto nulla dell'impresa, del Nastro Azzurro. Lo farò domani mattina prima di salpare per Nizza. Oltre tutto non era il caso di parlare a tavola perché i camerieri stanno sempre con le orecchie tese come se volessero rubare i segreti degli alti ufficiali di bordo e soprattutto del comandante del *Rex*. Alle 15 ho fatto un giro d'ispezione con Ottino...

... Nella sala macchine s'intuisce la potenza della mia

nave. Che Dio protegga il *Rex* e lo aiuti perché riesca a lanciare tutti i suoi 144.000 cavalli quando sarà il momento. Mi preoccupa sempre la tenuta delle palette montate sulle turbine di media pressione e quella delle valvole di raffreddamento. Se una di esse si guasta, la velocità deve essere ridotta imperativamente. Si può dire addio al Nastro Azzurro. Sono stato troppo scottato dal guasto del viaggio inaugurale.

Poi ho voluto salutare uno a uno i quindici vigili addetti allo spegnimento incendi. Debbono avere sempre il morale alto e una stretta di mano del comandante può essere utile a tale scopo. Ottino mi ha riferito che non c'era nulla da segnalare per quanto riguarda i mezzi di salvataggio... È un ufficiale coscienzioso. Mi fido e inoltre mi appare in ottima forma, veramente un bravo comandante in seconda. Non manco di segnalarlo ogni volta che redigo un rapporto per la direzione della compagnia...

... Il *Rex* è lucido come uno specchio. Il suo fiato sa di pulito.

... Dopo avere congedato Ottino e Risso, mi sono infilato nella cappella, che era deserta, e ho pregato davanti al quadro della *Madonna del Mare* del pittore Gaudenzi. Fuori era il tramonto. Faceva ancora un gran caldo. Mi sono chiuso nel mio alloggio e ho fatto mangiare la Lilin. Pur essendo molto invecchiata, la cagnetta scodinzola quando mi sente che parlo ad alta voce. Piega di lato il muso. Talora mi pare che in segno di complicità mi strizzi l'occhio sinistro dove c'è sul pelo una chiazza nera che mi fa tanta tenerezza.

In navigazione, 10 agosto 1933...

... È arrivato il momento di porre al sottoscritto comandante Tarabotto una domanda precisa. Ed è una domanda alla quale non me la sono mai sentita di rispondere, nemmeno per iscritto e in pagine proibite agli occhi degli estranei come quelle di un diario privato [*sic*]. Che cosa vuole, Francesco Angelo Maria Tarabotto? Proprio così: che cosa vuoi? Ho il coraggio, e che Dio perdoni la mia sfrontatezza, di rispondere: voglio battere primati, voglio sbalordire la gente, voglio che i giornali parlino di me, mi rifiuto di vivere alla giornata... Ho il potere di un comandante e adesso che comando una delle più belle navi del mondo se non la più bella voglio di più...

... Mi piace Italo Balbo proprio per questa sua smania di superamento. E quale può essere il premio più ambito per l'uomo che comanda il *Rex*? Vincere il Nastro Azzurro, vincere l'Atlantico da Gibilterra al faro di Ambrose che ha significato sconfitta o trionfo per tanti comandanti, vincere il transatlantico tedesco *Bremen*... È questo stesso mare da D'Annunzio definito virile [*sic*] che mi esorta a farlo. L'Atlantico mi sfida, sfida tutti noi, e noi dobbiamo batterlo...

... Ho la sensazione di avere bisogno di maggiore riflessione. Non debbo lasciarmi andare, neanche in queste pagine: le frasi precedenti sono state scritte in un momento d'esaltazione. Le dovrò cancellare? Le dovrò strappare? Vedremo più in là...

... All'Istituto Nautico uno dei miei insegnanti diceva: Tarabotto, lei scrive bene nella lingua italiana. Non è da tutti, specie in un Paese dominato dall'analfabetismo e poi, si figuri, all'Istituto Nautico.

Spero che questa volta supererò me stesso.

IN TUTTI I SENSI!!! [*Le parole in tutti i sensi sono in maiuscolo e staccate dal contesto perché più volte sottolineate con energici tratti di penna. In alcuni punti la punteggiatura è stata ritoccata, come alcune parole del linguaggio tecnico* N.d.R.]

Un giorno queste mie righe potrebbero essere lette nonostante la mia volontà di tenerle celate. Forse in futuro farò pubblicare le mie annotazioni di viaggio. Sento l'obbligo morale di dover scrivere ogni giorno in questa circostanza straordinaria. Troverò il tempo. Se tale impresa dovesse concludersi con un fallimento, il mio testo o sarà nascosto a Lerici oppure sarà bruciato…

… Lo stato maggiore non sa ancora nulla del Nastro Azzurro. Se andasse male, non sopporterei sguardi di commiserazione. Solo Ottino e Risso sono stati informati. Non ho riscontrato segni di stupore. Se l'aspettavano. Risso ha giurato che darà il massimo.

«O la va o la spacca, comandante.» Così ha detto.

Io ho risposto: «Risso, lei non deve spaccare nulla, obbedisca solo ai miei ordini».

Forse sono stato un po' duro. Ho visto che Risso impallidiva. Ottino ha detto che ce la dovremmo fare. Io ho rivelato che la nostra società concedeva libertà di consumo del carburante e che potevamo superare di 250.000 lire il nostro preventivo. Il Duce (è stato ripetuto più volte dalla Direzione) vuole il Nastro Azzurro. L'impresa americana del ministro Italo Balbo deve dare l'esempio. Con tali parole ho concluso il discorso con Ottino e Risso…

… Ritirate le passerelle, il *Rex* si è mosso alle 11.30. La manovra è stata eseguita con dolcezza. Dall'aletta di plancia ho visto la gente che acclamava e sventolava fazzoletti.

La partenza del *Rex* è sempre un avvenimento per la città di Genova, specialmente in una calda mattina di sole. Tutto il *Rex* splendeva. La nave deve vivere le stesse pulsioni dell'animo mio. Esagero? Siamo in simbiosi (guarderò nell'enciclopedia Fedele della biblioteca di bordo l'esatto significato della parola «simbiosi», è un'enciclopedia che rispetta il fascismo).

Come sempre nascondevo la mia emozione. Anche quando comandavo l'*Augustus* e anche prima dell'*Augustus*, lasciare Genova sulla nave della quale ero il comandante, massima autorità, mi dava tanta fierezza per il lavoro che facevo. Immaginavo mia madre affacciata al balcone che mi guardava con lacrime di gioia. Immaginavo tutti i genovesi che guardavano la grande nave allontanarsi… [*Il comandante si dilunga su altre sensazioni. N.d.R.*]

… Vista dal *Rex*, la città si è trasformata lentamente in un anfiteatro… Da sinistra la mole della Lanterna, Granarolo, i Righi, Castelletto e, a destra, Monte Fasce con la sua Croce e in fondo, tutto roseo, ecco Portofino.

Ho pensato anche agli emigranti che portavo con me negli Stati Uniti. Dovevano piangere perché lasciavano la Patria e nello stesso tempo essere orgogliosi di viaggiare sul *Rex*, la nave italiana più bella del mondo. Non mi stancherò mai di dirlo. E se sapessero quale grande sfida ci aspetta… [*Il comandante si dilunga ancora sulle conquiste del fascismo e sull'impulso che Mussolini dà alla nazione. N.d.R.*]

… Lo scalo di Nizza è durato dalle 14.30 alle 15.40 ora locale. Sono stati imbarcati alcuni passeggeri. Ho visto anche la contessa de N… Lei non mi ha visto. Ho fatto un'ispezione in prima classe e nella classe speciale. I passeggeri erano seduti ai tavoli sotto gli ombrelloni variopinti. Nella piscina della classe speciale, dove spuntano lungo i bordi le teste di delfino in bronzo, che sono molto belle, c'erano numerosi bagnanti. In gran parte erano giovani americani. Questi ultimi avevano corpi slanciati ed erano molto rumorosi con richiami e risate. Le donne del loro Paese portano costumi che lasciano vedere le forme in modo eccessivo ma seducente. Ho notato che i passeggeri bevevano e apprezzavano i nostri vini e soprattutto il marsala. Lasciata Nizza, dorata sotto il sole, abbiamo trovato un mare a forza due, blu con increspature bianche. Così per il momento la piscina è tranquilla senza traboccamenti di acqua...

... Ho continuato il giro d'ispezione. Per tutto il viaggio non ne farò più. Ho persino assaggiato le gallette salate che mi ha offerto un cameriere. Mi ha indicato, con gesto rispettoso, un martini e poi una coppa di spumante. Ho rifiutato recisamente.

Per raggiungere il ponte A sono sceso lungo la scalea principale della prima classe. Sembra creata apposta per una coppia reale e il suo seguito. L'architetto Monti di Milano e la Ditta Ducrot di Palermo si sono rivelati all'altezza del loro nome. E così hanno fatto per la posateria in alpacca la Ditta Broggi e per piatti e tazzine la Ditta Richard-Ginori... [*Il comandante cita altri fornitori del Rex. N.d.R.*]

... I passeggeri mi hanno salutato con un inchino. Le signore, molte delle quali eleganti e ciarliere, mi hanno sorriso o mi hanno rivolto (le americane) un ciao con la mano. Gesto grazioso. Mi ha fatto piacere il saluto fascista del Grande Ufficiale Bixio A... e della duchessa Maria A. di D... La nobildonna, in accappatoio sfrontato e con i capelli ancora umidi, ha gridato Viva il Duce! Ho risposto anch'io con il saluto fascista. Un giovane americano ha applaudito. La sua graziosa compagna bionda lo ha imitato. Il fascismo si fa strada nel cuore della gioventù.

Nella sala delle feste di prima classe, quando sono entrato, l'orchestra eseguiva un valzer di Johann Strauss figlio, *Sul bel Danubio blu.* Il momento dei valzer durerà poco. Gli americani pretendono i fox-trot. Non ho visto molti passeggeri. La maggior parte è in cabina a prepararsi per la cena di stasera, soprattutto le signore delle classi superiori, le quali da oggi fino a New York sfoggeranno una toilette diversa ogni sera. *Rex oblige...* Ma non credo che la nostra corsa consentirà molti svaghi per i passeggeri. Il Nastro Azzurro ha la precedenza su tutto e su tutti...

... Ho constatato con soddisfazione che tutti i dettagli sono curati dal personale con la massima diligenza. Nella sala da pranzo di prima classe era già pronta la lunga tavola degli antipasti. Ho notato grandi vasi pieni di caviale ed enormi vassoi di salmone. Lo champagne e lo spumante Gancia si raffreddavano nel ghiaccio delle lucenti spumantiere in alpacca.

Ore 17.20. Sono tornato in plancia. Ho visto uno sguardo di stupore che è passato dagli ufficiali al timoniere. Ottino mi ha fatto un lieve cenno d'intesa. È che di solito, nei viaggi normali, lascio che il *Rex*, tranne momenti particolari che richiedono la presenza del comandante, sia affidato agli ufficiali dello stato maggiore. Ho chiesto se Adelmo Landini, l'ufficiale marconista, avesse avuto notizie della trasvolata di Italo Balbo.

Mi fa piacere che Landini, che era stato con Guglielmo Marconi per cinque anni sul panfilo *Elettra* e che sa tutto dei misteriosi comportamenti delle onde radio, possa final-

115

mente ritrovare un'avventura degna di lui. Dopo un mio attento e lungo esame, egli mi sembra vivere in un mondo parallelo e invisibile e tuttavia quella sua faccia da pugile nulla lascia scorgere del suo immenso ingegno. Avere sul *Rex* un uomo del suo valore, che è salito sulle vette della ricerca scientifica con Guglielmo Marconi, dà una sensazione quasi di disagio. L'ufficiale marconista deve avere sfiorato mondi irraggiungibili ai normali essere umani…

… È venuto in plancia Landini. Mi ha detto che Balbo ha perso un idrovolante mentre la formazione decollava dalle Azzorre. Sono stati registrati feriti, uno molto grave. Mi sono chiesto quale fosse l'idrovolante che si era rovesciato in mare tra quelli che ci avevano sorvolato mentre eravamo a New York tra il 19 e il 22 luglio…

… Rammento come fosse oggi che quel giorno era piombato in plancia Landini. Era affannato, pallido come un sudario. «Un messaggio dal cielo, comandante», aveva detto. «Gli idrovolanti stanno arrivando.»

Avevo subito dato ordine di comunicare la notizia all'intero stato maggiore e al personale che si trovava a bordo. Qualche minuto più tardi i miei ufficiali e io eravamo sull'aletta di plancia a gridare evviva all'indirizzo delle squadriglie di Balbo che sorvolavano i grattacieli. Molti hanno urlato con tutta la forza dei loro polmoni Viva il Duce! Eravamo commossi. Agitavamo freneticamente anche i berretti in segno di saluto. Gli idrovolanti volavano in formazione a quota relativamente bassa contro un cielo grigio. Avevo fatto azionare la sirena Tyfon. Gli aviatori non possono aver udito l'acclamazione salita dal *Rex*. Chissà che non finisca anch'io come il generale Balbo sulle prime pagine dei giornali, questo mi sono detto (e ho scritto) più tardi…

[*Il comandante Tarabotto descrive altre sequenze del primo giorno di navigazione. N.d.R.*]

... Landini mi ha detto che avremmo incrociato tra una mezz'ora il *Conte di Savoia*. Difatti la nave triestina è stata puntuale. Lo ammetto: è una bella nave. Ma non deve avere la stessa anima del *Rex*. Solo una sensazione. Ci siamo scambiati un saluto con le sirene. Le nostre due navi tagliavano le onde con potenza, lasciandosi dietro i loro neri pennacchi di fumo. Il *Conte di Savoia* è sfilato a una distanza 80-100 metri, velocità stimata 29,63 nodi. La stessa nostra velocità.

Ho lasciato il ponte di comando e ho puntato il binocolo sul *Conte di Savoia*. Ho inquadrato il comandante Lena che, a sua volta, m'inquadrava dall'aletta di plancia. La sua uniforme era blu. La mia bianca. Lo detesto perché poteva portarmi via il Nastro Azzurro. Ora la strada è libera e non provo alcuna pietà per Lena, il quale è anche un amico d'Italo Balbo che è stato a bordo del *Conte di Savoia*.

Il comandante Lena mi ha fatto avere una sua fotografia con dedica. Ridicolo. Ma grazie al suo fallimento, potremo, il *Rex* e io, conquistare il Nastro Azzurro... Se Dio e la Madonna ci proteggeranno.

In navigazione, 11 agosto 1933...

Ho deciso che dallo scalo di Gibilterra in poi non dormirò più. La Lilin deve avere sentito ancora una volta il mio stato d'animo ed è saltata sul mio letto come per darmi coraggio. Ho bevuto solo un caffè. Alle 5 a.m. ero sul ponte di comando. Il solito sguardo di stupore dei presenti. Ho

117

detto, sorridendo, che avevo fretta di arrivare a New York. Chi vuole capire, capisca…

… Siamo passati davanti alle coste della Spagna, alte e dirupate. Più tardi, alle 10, ecco Malaga, città tutta bianca, poi il promontorio con il faro sulla punta. Il mare era mosso con creste spumeggianti. Il cielo assolato. La nostra media era di 28,70 nodi. Ho parlato con il direttore di macchina Risso. Gli ho detto di guadagnare qualcosa. La voce roca di Risso è venuta su dalla piattaforma di manovra della sala macchine: «Eseguo subito, comandante». Conoscendo l'individuo, deve avere dato immediatamente l'ordine di immettere maggiore quantità di vapore nelle turbine. Ho sentito come un sussulto del *Rex*. Ma forse era la mia fantasia.

Non sono andato a colazione. Ho detto a Ottino di sostituirmi e di scusarmi con gli ospiti del mio tavolo. Ho immaginato lo stupore della contessa F. de N. che aveva mandato un brevissimo telegramma alcuni giorni fa alla mia abitazione di Genova servendosi del suo codice segreto veramente infantile, ogni parola deve essere letta al contrario…

… Non posso perdere la concentrazione. Ogni mio sforzo dev'essere dedicato al Nastro Azzurro. Il Duce non perdonerebbe un insuccesso. Il Duce rassicura gli italiani, instilla grandi sogni nelle loro teste. Mi fa paura…

… Ho avuto l'impressione (probabilmente sbagliata) che Ottino o Risso abbiano raccontato qualcosa al cappellano di bordo, il reverendo Luigi Umberto Cassani. Si trova sul *Rex* dal suo primo viaggio e nonostante le critiche per alcuni suoi atteggiamenti non conformi ai principi tradizionali del fascismo, mi è apparso come un grande oratore e generoso uomo di Chiesa. Riferiscono che sia protetto da un giovane monsignore, personaggio d'influenza. Il suo nome è Alfredo Ottaviani.

... Don Cassani si è presentato in plancia e mi ha tirato in disparte. Gli ho chiesto che cosa volesse. Mi ha risposto: «Voglio benedire questo luogo che è il cervello del nostro amato *Rex*, comandante». Gli ho detto: «In un altro momento, padre. I marinai, compresi gli ufficiali, sono superstiziosi e mangiapreti». Il sacerdote aveva un'aria offesa...

... Alle 17.30 abbiamo fatto scalo a Gibilterra. I passeggeri si sono affacciati alle murate e guardavano la sagoma del monte e il grande faro con la luce intermittente anche se era ancora giorno. Dall'altro lato si distingueva il promontorio di Ceuta. È l'Africa. Quando il *Rex* ha calato le ancore, si sono avvicinate tre o quattro barche a bordo delle quali si sbracciavano indigeni [*sic*] che chiedevano l'elemosina. Ho seguito la scena dall'alto. Essi lanciavano corde recanti dei piombi alle estremità. Se qualche passeggero le afferrava ecco che salivano fino alla murata del *Rex* alcune piccole sporte collegate a un'altra fune della quale un capo restava nelle mani del barcaiolo. Il passeggero deponeva alcune monete nella sporta e la calava giù e il barcaiolo in basso ricambiava con un grappolo di uva di Malaga.

Ho detto a Nicola Dodero di assumere il comando. Mi sono ritirato nella sala nautica insieme con Ottino e Risso. Dovevamo stabilire sulle carte la rotta più rapida per raggiungere il faro navigante di Ambrose. La rotta per circolo o cerchio massimo. Per i profani e in parole accessibili, si tratta di spostarsi il più possibile verso Nord per accorciare l'itinerario. Fa economizzare cento miglia rispetto alla cosiddetta «rotta del sole» tracciata a Sud delle Azzorre. Si è discusso pacatamente. Ottino mi è apparso sempre fiducioso nonostante le pessime informazioni sulle condizioni atmosferiche che giungevano da altre navi e dal centro radio americano.

«Non avremo il pericolo degli iceberg», ha detto mostrandoci una tabella secondo la quale l'Atlantico non era infestato da quei mostri bianchi nei primi quindici giorni di agosto.

Un attimo di silenzio poi: «Tranne eccezioni», ha precisato Ottino.

Potevamo prevedere oltre 20 gradi di rollio. Un Atlantico infuriato. Sono stati calcolati i consumi, tenuto conto dei vantaggi in combustibile offerti, grazie al Duce, alla nostra compagnia di navigazione. Una traversata a velocità normale bruciava circa 750 tonnellate di carburante al giorno...

... Alle 19.30 eravamo già lontani da Gibilterra. I passeggeri sono stati avvertiti di rimettere gli orologi 56 minuti indietro. Ora di Greenwich. Di nuovo mi sono trovato davanti l'Atlantico, un mare per veri uomini. Il *Rex* doveva apparire come un'isola di luce in tanto buio.

«Mi dia il massimo», ho ordinato a Risso.

Risso ha risposto: «Eseguo, comandante».

In navigazione, 12 agosto...

Ho avuto appena il tempo di pensare a Lilin. Abbiamo alle nostre spalle 524 miglia. Velocità media: 28,55 nodi. La stessa del tedesco *Bremen* nel giugno scorso. Sono le 22.30. Ho riscontrato un aumento di rollio. Ottino ha riferito che la maggior parte dei 1099 passeggeri è in cabina. Soffre di mal di mare. Se sapesse a quale impresa sta partecipando, lo sopporterebbe meglio, il mare...

... Non ci sono state danze nei saloni lucenti del *Rex*. Solo il cinematografo ha funzionato. Ho trovato il tempo per mangiare un piatto di cannelloni alla nizzarda in compagnia di Ottino. Non ho chiuso occhio da oltre 24 ore. Sono rimasto sotto la doccia per dieci minuti. Acqua fredda. Lilin era raggomitolata nel suo sacco. Ho cambiato camicia e divisa (sempre bianca). Credo che tutti i miei ufficiali abbiano ormai capito il perché della velocità. Risso è stato soprannominato (da Nicola Dodero) Dio Vulcano.

Torno in plancia...

... Ho appreso che Italo Balbo è ammarato alla foce del Tevere con i suoi idrovolanti. Erano le 17.35. Landini ha esclamato: «Un trionfo, comandante». Poi ha proseguito: «Mi è stato detto al telefono che Balbo indossava la tuta di volo ed era più bello del Duce che portava la camicia nera». Ho interrotto Landini bruscamente... Aveva un tono canzonatorio.

... Più tardi ho chiesto un'aspirina. Un mal di testa mi divorava il cervello. Nei momenti di grande tensione è sempre così.

In navigazione, 13 agosto...

Adelmo Landini è entrato in plancia con le ultime notizie sulle condizioni atmosferiche.

«Sarà sempre peggio, comandante.»

«Peggio come?»

«Solo peggio, comandante: avremo anche piovaschi e più avanti, lungo la nostra rotta, alcune navi hanno segnalato banchi di nebbia...»

Il *Rex* saliva e scendeva per montagne e valli d'acqua.

Per tutta la notte tra il 12 e il 13 agosto il direttore di macchina ha dato il massimo. Mi è stato detto che il capo macchinista Vittorio Bardaracco sta componendo una poesia sulle caldaie del *Rex*. Parla d'inferno, di fiamme... Ho ordinato di farmela leggere non appena sarà completata. A partire dalle prime ore del mattino il secondo ufficiale Nicola Dodero è stato incaricato di calmare gli animi dei passeggeri. Sono stato informato che i soli a divertirsi, sbandando e cadendo sui ponti, sono i giovani americani. Lanciavano urla a ogni impennata del *Rex*. La nave è superba, sensibile, pronta ad assecondare ogni manovra. Talora ho avuto la sensazione che precedesse gli ordini impartiti dalla plancia...

... Esagero. Non devo umanizzarla a tal punto. È un peccato agli occhi di Dio. Mare sempre al traverso. Più tardi abbiamo tentato di diminuire il beccheggio. Il cielo è coperto. In senso contrario alla nostra rotta grandi nuvole d'inchiostro nero correvano sopra di noi a grandissima velocità.

Alle 22 nuova riunione con Ottino e Risso nella sala nautica. Entrambi hanno detto di essere ottimisti. Risso ha detto però di non poter escludere sorprese. Fino a quel momento le dodici caldaie del *Rex* avevano dato il massimo.

I dati sommari.

Il consumo era di 4600 chili di nafta all'ora.

Era scontato uno slancio formidabile di 144.000 cavalli.

Risso aveva calcolato che le quattro eliche del *Rex* giravano a una velocità pari a 225 chilometri l'ora.

La media del 13 agosto è stata di 28,63 nodi. Superiore a quella del tedesco *Bremen*...

Risso ha concluso dicendo che l'ascensore per il personale di macchina aveva avuto un guasto subito risolto.

Ho risposto che dovevamo continuare il nostro sforzo a dispetto del mare mosso. Ottino ha posto il problema dei passeggeri. Sono stato brutale: i passeggeri si trovano a bordo di una nave lanciata verso la gloria. La riunione è stata interrotta.

E sono tornato in plancia per un'altra notte insonne.

In navigazione, 14 agosto...

Il *Rex* ha affrontato durante la notte un mare forza 8, altezza delle onde da 10 a 15 metri, vento contrario, rollio oltre i 20 gradi, sferzate continue di pioggia. Mi è stato riferito da Ottino che in tutti i settori sociali della nave, dalla prima alla speciale e dalla turistica alla terza classe, si sono visti scarsi passeggeri, in gran parte uomini giovani. La passeggiata coperta del Ponte Saloni, nella prima classe, era deserta, lo stesso dicasi del bar del giardino d'inverno e della sala delle feste con il suo teatro. Sul pavimento del bar del giardino d'inverno sono state rinvenute copiose tracce di vomito che sono subito state fatte scomparire dal personale di camera...

... Tutte le luci erano accese, ma il *Rex* pareva abbandonato. I camerieri hanno riferito di avere incontrato alcuni passeggeri in malfermo equilibrio nella Grande Veranda del Ponte A. Sbattevano da una parte all'altra urlando. Avevano facce spettrali.

I passeggeri non hanno voglia di distrarsi o meglio non ne hanno la forza. Non sono stati proiettati film; l'ultimo, mi è stato detto dal commissario di bordo, era un film dal titolo *Kiss me again* con Bernice Clair e Walter Pidgeon, un film mieloso, pieno di canzoni, decadente e stupido. Lo avevo visto con P.B. e la sua mamma a Genova. Non so per quale motivo sia stato scelto per una proiezione a bordo del *Rex*. Mi è stato riferito che in sala erano presenti solo tre passeggeri. Quando il *Rex* ha sprofondato la sua prora nel mare con maggiore forza delle altre volte, si sono messi a urlare e sono corsi nelle loro cabine...

... Questo è un dettaglio nella nostra impresa che rivela la sofferenza dei passeggeri. Se rallentassi la velocità, potrebbero trarne un po' di sollievo. Non posso concedere loro nulla. È sufficiente un minimo errore per dire addio alla nostra avventura. Oggi abbiamo registrato una media di 28,70 nodi...

... Sono sempre in plancia, tranne un'ora trascorsa nel mio alloggio per badare a Lilin e scrivere qualche rigo. Il direttore di macchina Risso non ha riferito alcun segno di cedimento. Mi ha detto che la temperatura, nei locali caldaie, è terribile. «Gli uomini resistono, comandante», mi ha detto ancora Risso al telefono.

«Finché possono», ha aggiunto.

Un fuochista e un ingrassatore hanno perso conoscenza a causa del calore. Sono stati trasportati in infermeria e il dottor Luigi Gullini è intervenuto con premura. L'ingrassatore, dopo un'ora, ha detto di voler tornare al suo posto. Non si diserta (ha usato questo verbo) quando il *Rex* si batte contro l'Atlantico. Segnalerò il suo nome, che non mi è stato ancora comunicato, alla Società...

... Alle 23.30 il comandante in seconda Ottino, al quale

avevo concesso due ore di sonno, mi ha suggerito di riposarmi. «Domani sarà ancora più dura, comandante.»

Dobbiamo giocare le nostre ultime carte. Ho detto: «Ho fiducia in questa grande nave. Mi allontanerò solo per un'ora».

«Almeno due ore, comandante», ha risposto Ottino. Sono uscito all'aperto sull'aletta di plancia. La pioggia schiaffeggiava il mio volto. La barba si è subito inzuppata. Ho tenuto saldamente il cappello e mi sono voltato in direzione della poppa. Ho visto il Ponte Sole del *Rex* illuminato. Tutto intorno il buio. Sono tornato a guardare davanti a me.

Proprio in quegli istanti l'Atlantico è saltato sul castello di prua del *Rex* fino alla campana delle ancore. Nell'ondata nera come la pece si distingueva la schiuma bianca frastagliata che pareva fatta di tentacoli...

In navigazione, 15 agosto...

Sto scrivendo queste note nel mio alloggio. Sono passate da poco le 19. Sono esausto, il mal di testa mi tormenta, ma debbo trascrivere l'accaduto di questo Ferragosto 1933. Poi tornerò in plancia. Questa sera potrei sentirmi trionfante o depresso e distrutto. Lo stesso stato d'animo potrebbe avere l'intero equipaggio del *Rex*. Ma io sono il comandante...

... Ho come ricevuto un colpo di mazza sulla testa allorché, al levare del giorno, ho visto che la nebbia diventava sempre più fitta. È finita, mi sono detto. Posso dire addio al Nastro Azzurro. Sembrava così a portata di mano.

In uno squarcio nella nebbia abbiamo fatto appena in tempo a scorgere, a dritta, le sagome scure di due balene.

Ho impartito l'ordine di aumentare le vedette. Era come se corressimo nell'ovatta. Un banco di nebbia dall'estensione difficilmente calcolabile. Sono andato a informarmi nella stazione radio. C'era Adelmo, l'uomo di Marconi: anch'egli non ha dormito.

Gli ho chiesto: «Notizie, signor Landini?»

«Pessime, comandante.»

«Dovremo navigare ancora per molto nella nebbia?»

«I miei colleghi danno riposte imprecise... anzi, nebbiose», ha detto con un sorriso sulla sua larga faccia.

Sono uscito dalla stazione radio con i pugni stretti fino a farmi male.

Alle 8 a.m. il comandante in seconda Ottino mi ha indirizzato uno sguardo interrogativo. Interpretava il pensiero di tutto lo stato maggiore. Nemmeno uno dei miei ufficiali s'era ritirato nel suo alloggio durante la notte. Erano restati tutti in plancia a vegliare. E nei locali macchina nemmeno Risso e Badaracco si erano mossi, tutti uniti fino all'ultimo fuochista, ingrassatore e macchinista. Chi lavorava e chi era pronto a sostituirlo...

... L'unica cosa di cui erano informati i passeggeri era la nebbia. La vedevano e dovevano sentire anche che il *Rex* non rallentava. Erano in pochi a muoversi nelle passeggiate coperte. Gran parte di essi, m'era stato riferito dall'ufficiale Nicola Dodero, erano rimasti nelle sale a tentare di fare colazione. Le sirene lanciavano i loro segnali ogni due minuti, due colpi di sei secondi ciascuno. E ogni volta i passeggeri sussultavano, secondo Dodero, e si guardavano interrogativamente.

Avevano paura. Solo i bambini correvano e giocavano, mi ha detto Dodero... Beata incoscienza.

Il rischio di una collisione aumentava con lo spessore della coltre di nebbia. Non avevo fatto diminuire la velocità del *Rex*. Se lo avessi fatto, tutto sarebbe andato perduto. Il *Rex* non meritava vigliaccherie. Infatti correva tra due pareti di nebbia come se soltanto lui conoscesse la strada. L'illusione era che fosse portato da uno spirito guida...

Lo so che è facile fare queste osservazioni a posteriori. Sono restato impietrito davanti ai vetri del ponte di comando. Avrei voluto perforare il mio binocolo Zeiss con gli occhi pur di cogliere la benché minima ombra pericolosa sulla nostra rotta. Il telefono che mi collegava alla piattaforma di manovra della sala macchine era alla mia sinistra. A un certo punto ha suonato:

«Rallentiamo, comandante?» ha chiesto Risso.

È stato tremendo. La domanda di Risso mi buttava di nuovo sulle spalle tutto il peso della responsabilità. Dovevo lasciarmi schiacciare? Era stato Risso che nelle prime ore di navigazione mi aveva detto: o la va o la spacca, comandante.

Non so chi o che cosa mi abbia spinto a dire: «Mi dia sempre il massimo, Risso, e mi chiami soltanto se scoppiano le caldaie».

Stavo giocando a dadi con il destino.

Non mi sono girato, ma ho sentito che gli sguardi di tutto il personale di plancia erano sempre inchiodati su di me. Forse lo spirito di conquista si era dileguato. Ho abbassato il binocolo. Mi sono voltato per un attimo. Il timoniere, Sbolgi, era pallidissimo, stringeva i denti. Dovevo farlo sostituire, stava ormai da troppo tempo al suo posto. Ma Sbolgi è un timoniere di razza. Sono restato a guardarlo per un istante. Poi sono passato agli altri volti: Ottino, Dodero,

Bocca... Ho riafferrato il binocolo con decisione e l'ho puntato oltre la prua che già si distingueva appena. I miei ufficiali non mi avrebbero abbandonato.

Nessuna legge m'imponeva di ridurre la velocità. Ma se il fato si accaniva contro di noi? E se un altro natante attraversava la nostra rotta? Chi poteva escludere che il *Rex* non fosse già lanciato in una rotta di collisione? Nonostante le vedette, che comunicavano di non vedere ostacoli, da quell'ovatta grigia poteva uscire all'improvviso una sagoma. Bastava un peschereccio. No, magari fosse stato un peschereccio... lo avremmo spazzato via. Ma qualcosa di più grosso, un trasporto o... l'ultimo iceberg della stagione, a dispetto di tutti i nostri calcoli che ne escludevano la presenza.

In caso di collisione tutta la responsabilità si sarebbe rovesciata su di me. Mi sono voltato di nuovo e ho dato un'occhiata a Ottino che era alle mie spalle mentre le sirene emettevano segnali con maggiore frequenza come se temessero di ottenere una risposta proprio davanti a noi. Ottino ha scrollato le spalle. Le norme per evitare gli abbordi in mare non sono limpide. In caso di nebbia ogni bastimento deve andare a velocità moderata.

Certo bisognava tenere conto delle circostanze e delle condizioni del momento. Mi ripetevo queste cose e a un certo punto ho temuto di ripeterle ad alta voce. Mi sono di nuovo guardato intorno. Gli occhi di tutti stavolta erano rivolti al castello di prua. Avevamo un solo aiuto: il mare era leggermente mosso.

Moderare la velocità... Sarebbe calato il sipario sulle nostre aspettative. Erano momenti in cui un uomo era intrappolato nei pensieri più assurdi: che cosa avrebbe fatto il Duce se fosse stato al mio posto?

1. Il Rex *all'inizio del viaggio inaugurale.*

2. Lo scheletro dello scafo, proteso dal mare fino alla città, come si presentava nel novembre 1930.

3. *Il capitano Francesco Tarabotto con l'inseparabile cagnetta Lilin.*
Nella pagina a fianco:
4. *L'imponente prora del* Rex, *dalla caratteristica forma «a giglio».*
5. *In un braccio porta-elica potevano comodamente entrare quattro uomini.*
6. *Le due eliche di dritta: fuse in bronzo pregiato, avevano un diametro di 4,74 metri e pesavano 16 tonnellate.*

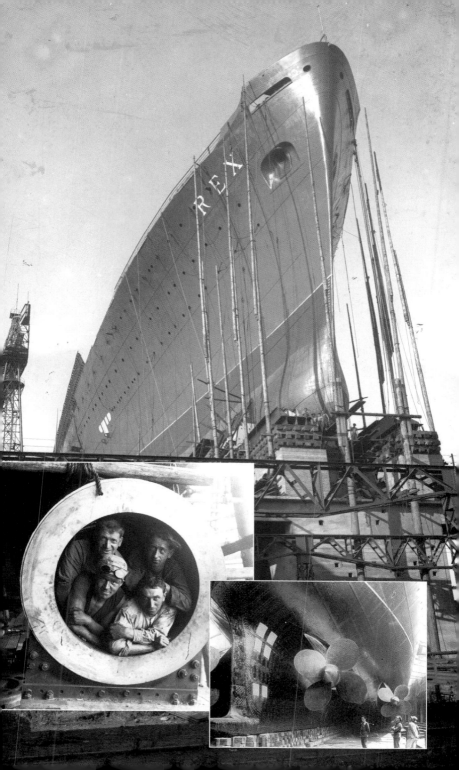

I SOVRANI PRESENZIANO AL VARO DELLA PIÙ VELOCE NAVE DEL MONDO

IL «REX», CAPOLAVORO DELL'INGEGNERIA ITALIANA, È STATO VARATO IL 1° AGOSTO A GENOVA, ALLA PRESENZA DEI SOVRANI. TOLTE LE LEVE DI SCATTO, LA MOLE GIGANTESCA DELLA NAVE — UNA DELLE PIÙ GRANDI DEL MONDO (51.000 TONN. DI STAZZA, 268 METRI DI LUNGHEZZA) E LA PIÙ VELOCE FIN QUI COSTRUITA (CAPACE DI TENERE LE 28 MIGLIA ORARIE) — È SCESA FELICEMENTE NELLO SPECCHIO D'ACQUA CHE PER ACCOGLIERLA ERA STATO SCAVATO NEL FONDALE DI 500.000 METRI CUBI DI SABBIA.

7. *La copertina del settimanale* Il Secolo Illustrato *dedicata al varo del* Rex.

8. *Re Vittorio Emanuele e la regina Elena entrano nel cantiere di Genova Sestri per la cerimonia del varo, seguiti dalle autorità.*

9. *Lo spettacolare varo del* Rex. *Il transatlantico sprofonda in mare, mentre una nuvola di fumo e vapore si solleva dalle slitte, rese roventi dall'attrito, a contatto con l'acqua.*

10. *Il* Rex *arriva per la prima volta a New York, dove viene accolto entusiasticamente dal sindaco e dalle autorità, celebrato dalla stampa e visitato da migliaia di italoamericani.*
11. *Nella pagina a fianco, in basso, il ruolo di equipaggio da cui risulta l'imbarco, per il primo viaggio del* Rex, *del comandante Tarabotto, degli ufficiali Ottino, Gallo, D'Esposito, Dodero, Bocca, e del direttore di macchina Bertamino.*
12. *Sotto, il ponte di comando.*

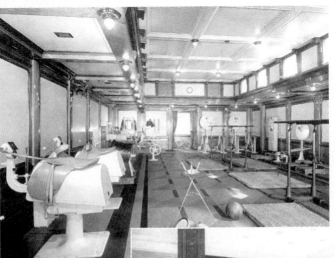

13. *La palestra riservata ai passeggeri di prima classe, dove era sempre a disposizione un maestro di ginnastica.*

14. *Il lussuoso salone centrale, rivestito in mogano e pannelli di broccato, decorato con arazzi e ampi tappeti persiani.*

15. *La camera da letto di uno dei tredici appartamenti di prima classe, che comprendevano anche un salotto.*

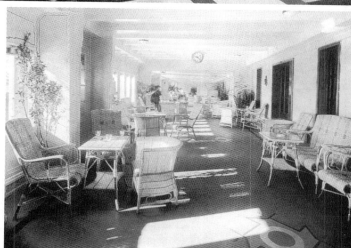

16. *La scala che portava al salone centrale di prima classe.*

17. *La veranda della «classe speciale», una seconda classe dotata di tali comfort da poter essere paragonata alla prima di altre navi.*

18. *La sala da pranzo della cosiddetta classe turistica, corrispondente a una seconda classe economica.*

19. *Una cabina di terza classe a quattro letti.*

20. *La piscina della «classe speciale».*

21. *Durante la traversata nella quale avrebbe conquistato il record di velocità, il* Rex *dovette superare le difficili condizioni del mare, che provocarono movimenti di rollio superiori ai 20 gradi.*

22. *Il* Rex *inalbera il Nastro Azzurro, simbolo del record di velocità conquistato il 15 agosto 1933.*

23. *Il bar di prima classe in una delle illustrazioni realizzate da Edina Altara e Vittorio Accornero per una brochure pubblicitaria.*

24. *Turisti nella piscina di prima classe.*

25. *La famiglia Mussolini fotografata sulla nave. Romano è il bambino a sinistra.*
26. *A fianco, Italo Balbo viene «incoronato» da una tribù pellerossa a New York, durante i festeggiamenti dopo la trasvolata atlantica.*
27. *Sotto, a sinistra, Primo Carnera con il comandante.*
28. *Sotto, a destra, Isa Miranda.*

29. Arturo Toscanini e Francesco Tarabotto.

30. Luigi Pirandello.

31. Tazio Nuvolari (primo a sinistra) sul Rex *con altri piloti.*

32. Sotto, Giorgio Nuvolari, primo figlio del pilota.

33. In alto, a sinistra, Mario Magonio, l'operaio dell'Ansaldo che lavorò alla costruzione del Rex e partecipò al varo.
34. Sopra, Ernesto Isaia, imbarcato come groom sul Rex fin dal primo viaggio.
35. A fianco, Romano Mussolini in una foto recente.
36. Sotto, a sinistra, Don Luigi Cassani, cappellano del Rex.
37. Sotto, Piera Borghetti, cugina e confidente del comandante Francesco Tarabotto.

38. Il Rex *viene bombardato dai cacciabombardieri degli Alleati nella baia di Capo-distria l'8 settembre 1944.*

39. A due ore dall'attacco, il Rex *brucia da prua a poppa.*

40. Il relitto della nave, ancora integro, nell'ottobre 1948.

Ho chiamato le macchine: «Risso?»

«L'ascolto, comandante.»

«Sempre a tutta forza!»

«Sissignore.»

Osare... Osare come aveva osato il generale Balbo con i suoi aerei, come gli Argonauti dei quali mi avevano parlato a scuola. I miei pensieri, mi sono detto, correvano troppo. Correvano più forte del *Rex* del quale sempre meno distinguevo la campana delle ancore, a prua, ma che pareva preso da un tremito spaventoso con quelle sue quattro eliche di 16 tonnellate ciascuna che giravano con tutta la loro potenza in un Atlantico grigio e dai riflessi metallici. Un mare ostile al *Rex*.

Velocità moderata, diceva l'articolo del codice in caso di nebbia. Una velocità che consenta a una nave di fermarsi in uno spazio pari a metà del raggio di visibilità. Lo sapevo bene, avevo già attraversato l'Atlantico per 360 volte. Se due bastimenti diretti l'uno contro l'altro possono fermarsi nello spazio pari a metà del loro raggio di visibilità, una collisione è impossibile.

Ma non era il nostro caso.

«Comandante», ha detto Ottino avvicinandosi alle mie spalle.

«L'ascolto, Ottino.»

Il mio tono non poteva essere più brusco.

Forse stava per dirmi che dovevamo rallentare, che dovevamo farlo per forza. E all'improvviso il *Rex*, forse per tacitarlo, è entrato in una leggera schiarita.

«Allora, Ottino? Diceva?»

«Vuole un caffè, comandante?» ha chiesto.

«Non abbandono neanche per un attimo questo posto. Lo beva lei per me, il caffè.»

«Sissignore.»

C'è stata una breve schiarita, ma è durata, ahimè, troppo poco. La grande coltre di nebbia ha nuovamente inghiottito il *Rex*. Ha riavvolto tutti noi. *Rari nantes in gurgite vasto…* Dispersi per le onde burrascose… È strano come ci assalgano, senza preavviso, i ricordi scolastici. La memoria mi ha riportato il verso di Virgilio. Un verso di un'infinita audacia e disperazione.

Ho ordinato a Ottino d'informarsi alla stazione radio sulle condizioni atmosferiche.

«Ne avremo ancora per molte ore», ha detto rientrando in plancia.

«Quante ore?»

«Forse 8, forse 10… Diciamo fino alle 20 di questa sera, comandante.»

Avanziamo adesso verso l'America in un alternarsi di banchi di nebbia e momenti di visibilità. Niente di peggio. In un banco di nebbia può esserci una nave. È come se l'Atlantico volesse ostacolare il *Rex* con tutta la sua malvagità. Perché? In certi momenti sembrava amarci e poi, eccolo trasformarsi nel Maligno. Visibilità… nebbia, squarci di luce… grigio color piombo.

Un altro fuochista è svenuto ed è stato portato in infermeria. Una vedetta ha avuto un collasso, anch'essa è finita in infermeria.

Il dottor Gullini ha informato Ottino che l'infermeria ha accolto anche alcuni passeggeri. Sono malati di angoscia, hanno vomitato tutto quello che potevano vomitare ed avevano forti emicranie. Che Gullini distribuisca aspirine.

Non è il momento di pensare ai passeggeri con il *Rex* lanciato nella sua impresa. Me ne frego dei passeggeri, io...

Il commissario di bordo ha riferito che qualcuno, specie nella prima classe, rievocava la tragedia del *Titanic*. Ho detto a Ottino di ordinare ai commissari di bordo e all'intero personale di camera di tranquillizzare i passeggeri con le seguenti parole: il *Rex* è dotato di apparecchiature modernissime grazie alle quali non si deve temere la velocità anche nel caso di nebbia. È dotato di strumenti speciali e segreti.

Ottino mi ha guardato stupito: «Quali strumenti speciali e segreti, comandante?»

«Esegua, Ottino.»

Mi sono ricordato di Lilin. La cagnetta non aveva mangiato. Povera Lilin. Ho detto al terzo ufficiale in plancia di cercarmi il mio attendente oppure Ernesto I., il ragazzino degli ascensori...

Alle 17.15 ho chiamato la sala macchine: «Risso?»

«Comandante?»

«Nulla da segnalare?»

«Sempre al massimo, comandante. Non registriamo episodi allarmanti. Le valvole d'immissione del vapore dalle caldaie alle turbine funzionano regolarmente. Mi sente bene? Ripeto: nessun problema a caldaie e turbine. Solo un telegrafo di macchina si è guastato e il vetro di uno strumento si è rotto. Il *Rex* è forte come un gigante.»

« Avanti così, Risso. E grazie...»

Ore 18.20. Ottino mi ha segnalato un vento sempre più forte da Nord-Ovest.

Ore 18.30. Rivediamo uno squarcio di cielo, poi un altro, poi un altro ancora... Siamo sbucati a tutta forza verso un orizzonte libero!

E abbiamo il record: una media di 29,61 nodi. Tra il 27 giugno e il 2 luglio il *Bremen* della società tedesca Norddeutscher Lloyd aveva navigato da Cherbourg ad Ambrose (3149 miglia) impiegando 4 giorni, 16 ore, 15 minuti, media 28,51 nodi. Stavamo per umiliare il transatlantico tedesco. Era fatta!

Mi sono ritirato nel mio alloggio mentre il *Rex* era sotto i piovaschi. Mi sentivo esausto. Forse la scrittura avrà la forza di rilassarmi. Vittoria! ho gridato alla Lilin. Il Nastro Azzurro ormai non può sfuggire al *Rex* e all'equipaggio del *Rex*. Non può sfuggire al suo comandante, al comandante Tarabotto. La conferma sarà data domani perché in mare le certezze possono disperdersi come fumo.

Una giornata storica per la Marina mercantile italiana e io ne sono protagonista grazie a questa grande nave costruita da mani italiane e dall'industria italiana, dall'Ansaldo. Mi sono sorpreso a canticchiare: *Sole che sorgi, libero e giocondo...* La Lilin era tutta eccitata e scodinzolava, sentiva il mio entusiasmo, vecchia e fedele cagnetta. E ho scritto come se la penna volasse. Era la prima volta che mi capitava. Ripeto: ho sempre avuto facilità nello scrivere, ma non sono mai stato così veloce. Il mio insegnante dell'Istituto Nautico sarebbe soddisfatto di me.

Sono tornato in plancia alle 21.30. Da quante ore non ho chiuso occhio? Forse cento. Forse molte di più. Ho detto a Ottino di andare a riposare. Mi ha risposto: «Disobbedisco, comandante».

«Qualcuno dovrà pur riposare.»

«Nessuno, comandante», ha risposto in coro il personale di plancia.

«Bene, avanti così. Ottino, comunichi a Risso di non mollare. La notte sarà lunga.»

Il *Rex* era di nuovo tutto illuminato, ma i passeggeri davano sempre più segni d'inquietudine. La velocità non diminuiva e ciò per loro significava che qualcosa era accaduto. Poteva anche non trattarsi del *Rex*, dicevano ai camerieri. Poteva trattarsi di notizie tragiche, di cui non siamo a conoscenza. Un attentato in Europa, una dichiarazione di guerra... Il personale di camera rispondeva che bastava telefonare ai loro cari per essere rassicurati. Avevano paura di telefonare, anche se il telefono, in quelle condizioni di tempo e soprattutto di mare, non era effettivamente utilizzabile con normale continuità. Solo pochi hanno provato...

Ho detto allora a Ottino di consultarsi con il personale di camera perché le ultime ore di navigazione fossero allegre: cotillons, maschere, champagne, caviale, orchestre, cantanti... insomma tutto quello che serve per sostenere il morale.

Solo allora mi è tornata in mente la contessa. Sarà rintanata nella sua cabina di prima classe e magari mi avrà rimpiazzato. Se ne avrà avuto la forza, la splendida nobildonna i cui antenati, a suo dire, fecero le Crociate.

Il mare leggermente mosso non ha impedito di danzare. Ottino mi ha riferito che al tavolo del comandante e al bar del giardino d'inverno gli hanno rivolto molte domande.

«E lei cosa ha risposto?»

Ottino ha avuto un attimo d'esitazione: «Ho detto che ci siamo battuti per conquistare il Nastro Azzurro».

«E i passeggeri che hanno detto?»

«Sa come sono i miliardari americani, comandante. Amano le sfide. E cominciano addirittura ad amare Mussolini...»

«Addirittura… non mi sembra la parola giusta, Ottino.»

«Mi scusi. Hanno simpatia per il regime fascista, quello che sta facendo per l'Italia è straordinario… Hanno ancora vivo il ricordo di Italo Balbo trionfatore a New York. Sanno dei nostri record aviatori, conoscono il nome di Nuvolari.»

«Venga al dunque, Ottino. Cosa hanno detto del Nastro Azzurro?»

«Hanno applaudito, comandante. Hanno applaudito il comandante Tarabotto, anche se gli americani hanno un po' storpiato il suo nome.»

«Storpiato?»

«Beh, sa com'è… hanno bevuto litri di champagne.»

«E poi non abbiamo ancora in tasca il Nastro Azzurro, Ottino.»

«Oh, sì… oh, sì… comandante, che ce l'abbiamo.»

A questo punto il comandante Francesco Tarabotto non scrisse più una riga.[1]

Splendida notte, quella tra il 15 e il 16 agosto 1933. Il *Rex* toccò i 30 nodi. Sfrecciava tra due ali di schiuma e le sirene non tacevano mai. L'ufficiale marconista Landini, eccitato e trionfante come ai tempi in cui era accanto a Guglielmo Marconi, telegrafò a quanti potevano raccogliere il battito frenetico del suo telegrafo:

Qui S/S *Rex*, qui S/S *Rex*. A tutte le unità in ascolto. Ascoltate. Posizione 41° 57 Latitudine Nord – 46° 51 Longitudine West. Ascoltate direzione Ambrose. Attenzione attenzione. Stiamo arrivando a 30 nodi. Ripeto: 30 nodi.

Scrisse West per Ovest, come gli aveva insegnato Marconi.

Alle 4.40 di mercoledì 16 agosto, il transatlantico, come una velocissima immagine sfolgorante, divorò l'orizzonte, s'ingrandì sempre più e non rallentò davanti al faro di Ambrose. Fece addirittura il gesto di sfida di non accogliere a bordo il pilota che doveva portarlo in porto. E le ultime 400 miglia erano state percorse alla velocità media di 29,17 nodi.

La traversata era stata compiuta da Gibilterra al faro di Ambrose in 4 giorni, 13 ore e 58 minuti alla velocità media di 28,92 nodi. S'era navigato per 3181 miglia.

Il tedesco *Bremen* aveva impiegato 4 giorni, 16 ore e 15 minuti alla velocità media di miglia orarie 28,51.

E sempre quella notte, le sirene Tyfon non interruppero il loro concerto, non si fermarono mai e nelle viscere della nave le caldaie e tutti i suoi immani congegni battevano al ritmo delle grandi imprese marinare. Il *Rex* era già una leggenda. Nei saloni ci si ubriacava e si cantava, ci si ubriacò e si cantò dalla prima classe alla terza classe. Ma nessun ufficiale dello stato maggiore bevve un goccio di alcol.

New York non dorme mai. A Times Square, dopo la notizia comunicata dal personale del faro di Ambrose, le informazioni luminose del *New York Times* annunciarono il record secondo cui l'«*Italian liner* Rex *arrived 24 hours ahead of schedule*», ventiquattr'ore di anticipo sulla tabella di marcia. In realtà erano ventisette, le ore di anticipo. Poco importa. New York, che adora i vincitori perché sono benedetti da Dio, s'innamorò della nave italiana. Decine d'imbarcazioni, pompieri in testa, le andarono incontro sull'Hudson. In vista della Statua della Libertà Tarabotto dette l'ordine di scatenare ancora una volta tutte le sirene di bordo alle quali risposero quelle delle altre imbarcazioni. Mai una cacofonia fu tanto epica. E si ha notizia che il comandante era preoccupato per la tenuta delle sirene. Il *Rex* non poteva permettersi di tacere come un gigante sfiancato dalla grande corsa.

Con il gran pavese sventolante, la nave fu anche illuminata da qualche improvviso raggio di sole. Procedeva a 10 nodi come se fosse l'andatura ideale per un trionfo. Continuava a emettere i suoi barriti verso i grattacieli, verso le altre navi e gli aerei che volteggiavano intorno e verso la gente che lo salutava agitando bandierine, fazzoletti, pagliette, ombrelli e cappelli a cilindro degli ultimi nottambuli.

Gli italo-americani piansero di gioia. Si abbracciavano l'un l'altro lungo le strade che a Manhattan si affacciano sull'acqua. Guardavano esultanti i poliziotti a cavallo, per lo più irlandesi, che tante volte in passato li avevano caricati. Mario Appelius, giornalista, scrisse: «Trent'anni fa la nostra emigrazione era una debolezza, oggi è quasi una forza, domani sarà infallibilmente un fattore di potenza». Come Roosevelt, gli americani apprezzavano l'Italia di Mussolini. Ne sapevano ben poco, ma ai loro occhi bastavano le scintille dei successi. E da emigranti, da servi della gleba che si uccidevano di lavoro per gli altri, gli italiani si erano trasformati in una folla sempre più consapevole del proprio valore e sempre più aguerrita. E non si poté impedire che anche le gang mafiose della Little Italy festeggiassero il Nastro Azzurro.

Furono in pochi a gridare «Viva il Duce» e pochi s'iscrissero alle sezioni newyorkesi del partito fascista. Ma furono in molti a sentirsi italiani. Nessuno si pose interrogativi su cosa progettasse la propaganda di regime al di là e a dispetto della superba nave. Si sentivano soddisfatti, traboccanti di fiera schiuma, come scrisse un giornalista. Ecco tutto.

Chi non volle credere alla vittoria di Francesco Tarabotto fu il comandante del *Bremen*, Leopold Ziegenbein. Grande marinaio. Era convinto che il suo record di giugno fosse imbattibile. S'era più volte detto, e lo aveva anche imprudentemente affermato davanti ai dirigenti del Norddeutscher Lloyd, che solo gli inglesi, soprattutto con il *Queen Mary* che stava prendendo forma a Clydebank, avrebbero potuto competere con i tedeschi. Per il momento, aveva concluso, il *Bremen* era *über alles*.

Leopold Ziegenbein doveva partire da New York e il pilota americano, salendo a bordo, gli dette la notizia della vittoria del transatlantico italiano.

«Gli italiani ce l'hanno fatta», disse soffiando tutto il suo alito zuppo di whisky sulla faccia del comandante tedesco. Il pilota, che era ebreo, detestava i nazisti come, del resto, anche Ziegenbein.

«È impossibile. Lei ha solo bevuto e mi sembra a due passi dal delirium tremens. Scenda subito dalla mia nave», gli ordinò Ziegenbein. Quando ebbe la conferma, mandò un telegramma di felicitazioni a Tarabotto concludendo con le parole: combatteremo ancora per il Nastro Azzurro. Invece, per le navi tedesche, si concluse un ciclo.[2]

* * *

Hitler, a Berlino, s'infuriò. Prima aveva avuto una crisi di nervi per l'impresa di Balbo, anche se aveva mandato l'ambasciatore a congratularsi con Mussolini. Balbo aveva dato la prova che una formazione di aerei poteva non solo attraversare l'Oceano, ma, volendo, intraprendere un'azione bellica. Fino alla trasvolata di Balbo il volo su lunghi percorsi era un obiettivo cui potevano puntare solo i matti o gli eroi. Hitler non poteva ammettere che l'eroe, tralasciando il matto, non fosse germanico.

E per il successo del *Rex* ebbe una reazione brutale nei confronti di Rudolph Firle, Adolf Stadtländer, Anton Brötje e Heinrich Schüngel della direzione del Norddeutscher Lloyd. Il suo ingresso nella sfera del potere, a suo avviso, era stato danneggiato da questi due successi del fascismo.

Di certo Hitler non immaginava che il personaggio Italo Balbo, proprio a causa dei trionfi americani, s'era avviato verso un fatale declino. E che Mussolini era stato di cattivo umore per molti giorni, al punto che aveva spedito un freddo telegramma per il *Rex*. «Esprima al comandante Tarabotto», ordinò al console di New York, «il mio più vivo compiacimento per il record magnifico del *Rex*. Compiacimento che estendo a tutto lo stato maggiore, equipaggio e personale. Mussolini.»

E al ministro Ciano disse: «Ora ce l'abbiamo, il Nastro Azzurro. Badiamo a non perderlo subito».

Costanzo Ciano, uomo concreto, non seppe cosa rispondere. Sapeva che l'Italia, dietro le quinte di quel miracoloso anno 1933 intessuto di successi, dalla coppa Schneider alla vittoria della squadra di fioretto a Montecarlo, al primato mondiale di corsa ottenuto da Beccali e al primato mondiale di velocità per aerei sulla distanza di cento chilometri, mancava di una struttura tecnologica competitiva. Poteva costruire un aereo velocissimo per l'aviatore De Pinedo, ma non diecimila aerei in pochi mesi come potevano fare gli Stati Uniti in caso di guerra. E questo lo sapeva non solo Ciano, ma anche Balbo.

Il *Rex* tornò in Italia. Tarabotto restò chiuso nel suo alloggio, si fece vedere in alta uniforme solo ai pranzi di prima classe. Fu festeggiato, adulato, circuito e vezzeggiato. Ma volle restare marinaio. Il *Rex* fece una sosta a Napoli e i turisti lo ammirarono più del Vesuvio. Gli aerei lo sorvolavano a bassa quota lasciando cadere rose rosse e margherite bianche e gialle.

Poi, come se ne sentisse il richiamo, il transatlantico navigò verso Genova. Era il 27 agosto. Da ogni nave incontrata nel Tirreno partivano segnali di saluto. Alle tredici il *Rex* entrò nel porto di Genova. Come per il varo, la folla era lì ad attenderlo. Sirene e campane riempivano l'aria estiva. Tarabotto riescì a distinguere il suono delle campane del mare che veniva dalla Basilica di San Francesco. Secondo il comandante in seconda Ottino che gli era accanto sull'aletta di plancia, l'omone severo e riservato aveva gli occhi lucidi di pianto.

Il capitano Giorgio Parodi, volando a bassissima quota con il suo idrovolante, lasciò cadere un nastro azzurro sul Ponte del Sole del *Rex*. Per la prima volta il mitico trofeo si concretizzava in un guidone colore del cielo. Era lungo ventinove metri perché doveva ricordare il record della grande nave. Fu subito issato a riva e sventolò fino al 1935.

Poi vennero i giorni di Roma. Il rituale dell'epoca, rivisto sui *Giornali Luce*, era di certo magniloquente, amplificato dal fascismo, ma se si leggono i discorsi di governanti democratici come Edouard Daladier e Léon Blum si nota che gli Anni Trenta, pur con tinta e toni diversi, avevano un ego politicamente enfatico.

L'equipaggio del *Rex* salì le scale di marmo che portavano al Milite Ignoto e più tardi sfilò per via XX Settembre, sotto la Manica Lunga del Quirinale, prima di essere ricevuto da Vittorio Emanuele e dalla regina Elena, madrina riluttante e impaurita dai terroristi.

Uno dei pochi a indossare baldanzosamente la camicia nera sotto la divisa fu Francesco Tarabotto, appena nominato commendatore del Regno. Non gli fu concesso, nonostante l'avesse chiesto, di portare con sé la cagnetta Lilin.[3]

Note

1. Il diario di Tarabotto si basa sulle dichiarazioni della signora Borghetti Tarabotto, sua cugina e giovane amica nonché molto legata alla madre del comandante; sulle dichiarazioni del marinaio Ernesto Isaia al quale Tarabotto raccontò molti episodi della propria esperienza; sugli scritti dell'ufficiale marconista Landini; su interviste dello stesso Tarabotto e di ufficiali e marinai del *Rex*.

2. Nel 1935 il francese *Normandie* strappò al *Rex* il Nastro Azzurro. E nel 1936 fu la volta dell'inglese *Queen Mary*. Il *Normandie* impiegò 4 giorni, 3 ore, 2 minuti e la sua media fu di 29,98 nodi. Il *Queen Mary* impiegò 4 giorni, 27 minuti e la sua media fu 30,14 nodi. Il *Normandie* rivinse nel 1937 e raggiunse la media di 30,58 no-

di. Il *Queen Mary* reagì nel 1938 riconquistando il Nastro Azzurro in 3 giorni, 21 ore, 48 minuti alla media di 30,99 nodi. Fu l'ultima corsa per il Nastro Azzurro prima della guerra. Riprese nel 1952 con l'americano *United States* che compì la traversata alla media di 34,51 nodi in 3 giorni, 12 ore e 12 minuti. Una velocità che non è stata più battuta.

3. Fu triste per il *Rex* e per il suo equipaggio ciò che accadde il 19 giugno 1937: Francesco Tarabotto, un mese prima di andare in pensione per limiti di età, lasciò la nave. Nei primi Anni Settanta, con il suo pizzetto da moschettiere, viaggiava ancora sui tram di Genova e chi lo conosceva spesso lo apostrofava: «Signor comandante, quand'è che lo vinciamo un altro Nastro Azzurro?» Allora gli occhi del vecchio marinaio brillavano di lacrime.

9

Si Deus pro nobis, quis contra nos? (Se Dio è per noi, chi sarà contro di noi?)

SAN PAOLO, *Lettera ai Romani*

I

IL *Rex* navigava gagliardamente a 36,27 gradi di latitudine Nord e a 11,06 gradi di longitudine Ovest. L'Oceano era agitato, quel mattino del primo agosto 1936. La cappella del transatlantico sembrava una scatola maltrattata dalla mano di un gigante. Alcuni quadri della Via Crucis s'erano messi di sbieco e i banchi, pur essendo inchiavardati al pavimento, scricchiolavano.

Uno dei due confessionali si trovava a destra dell'altare, e, secondo le sue abitudini, don Umberto, cappellano del *Rex*, vi si era rinchiuso per una mezz'oretta aspettando che qualche anima in sofferenza, per usare le sue parole, si manifestasse. Il sacerdote sospirò, dando un'occhiata oltre le grate del confessionale e si strinse al petto il breviario, tra le pagine del quale aveva infilato *Il Secolo XIX* del 29 luglio – data di partenza da Genova – che aveva preso in prestito dalla biblioteca.

C'erano notizie sulla guerra di Spagna. Mussolini doveva mandare truppe e mezzi militari a sostegno dei nazionalisti che erano insorti contro il governo repubblicano del Frente Popular, una compagine simile al Fronte Popolare che in Francia, il 26 aprile, aveva conquistato il potere. Il vento della sinistra spaventava e sullo sfondo si stagliava il gigante sovietico. Il quotidiano di Genova parlava di Madrid senza viveri, di altre quattro navi da guerra tedesche attese nel porto di Barcellona, di una prossima offensiva dei soldati ribelli sulla Sierra di Guadarrama e per la conquista di Malaga, delle milizie popolari comandate da socialisti e comunisti, era tutto un succedersi di feroci corpo a corpo.

L'animo di don Umberto era diviso tra pietà e sdegno, specie per i primi massacri compiuti in Spagna contro gli esponenti del clero. Pietà perché una guerra civile snatura l'amore fraterno in odio, Caino contro Caino. Sdegno perché l'animo di don Umberto era intriso di tradizioni ai limiti del sentimentalismo. Cercava comunque di trovare un equilibrio spirituale, una bilancia intima che tenesse conto di ogni grammo dei valori cristiani, anche perché si rendeva conto con amarezza di vivere sul *Rex* solo qualche riflesso delle tragedie terrestri.

E il suo pensiero andò, chissà perché, ai tre nomi con i quali, il 22 maggio 1893, i suoi genitori Angelo ed Esterina lo avevano iscritto nel registro dell'anagrafe di Ozzero, in provincia di Milano: Luigi, Umberto e Gaetano. Aveva sempre messo da parte Gaetano che gli ricordava un antenato venuto dalla Campania. Non si sentiva a suo agio con quel nome. Che cosa aveva di Gaetano un tipo come lui?

Per un po' di tempo s'era fatto chiamare Luigi, poi aveva preferito Umberto, che gli sembrava più adatto alla sua imponente statura e alla sua faccia virile, come gli aveva detto una nobildonna dopo averlo fissato a lungo ai bordi della piscina. Anzi la nobildonna aveva aggiunto: faccia non solo virile ma anche solare.

Solare? Voleva sedurlo?

E poi, non si chiamava Umberto l'erede al trono? Il principe Umberto. Il cappellano si rese conto di quanto talvolta il fattore monarchico lo condizionasse. I Padri della Chiesa fiancheggiavano i padri della patria, sant'Agostino accanto a Carlo Alberto o a Vittorio Emanuele II di Savoia.

Quando si era imbarcato per la prima volta sul *Rex*, nel settembre del 1932, trascorreva ore e ore, al mattino e al pomeriggio, nella cappella, e anche nel confessionale, il cui profumo di legno fresco gli ricordava il legname accatatasto nella cascina di Santa Maria del Bosco, dove aveva emesso i primi vagiti e dove si recava di tanto in tanto rientrando dai suoi viaggi. Ozzero, Torre d'Isola, Bereguardo, Zelata erano luoghi semplici e cari.

Poi, a mano a mano, capì che era inutile trascorrere tanto tempo nella cappella, perché sul *Rex* i pentimenti erano rari, benché i peccati, come poteva osservare, fossero in continua ascesa.

Con il suo occhio esperto, che conosceva bene le anime vagabonde nel mare, don Cassani aveva «annusato» la violazione del settimo comandamento fin dal viaggio inaugurale, notando gli sguardi che si scambiavano uomini e donne, donne e donne, uomini e uomini mentre salivano a bordo, sbrigavano le formalità nel vestibolo d'imbarco del-

144

la prima classe, al ponte A, e poi sciamavano nei saloni e nelle passeggiate del *Rex*. Sembrava che avessero fretta di cadere in tentazione.

La carica di sensualità dei passeggeri e dell'equipaggio era pronta a scatenarsi in quei luoghi come i cavalli vapore delle caldaie. Il sacerdote era convinto che il *Rex* fosse un mostro pagano; dal latino *monstrum*, beninteso, cioè un essere prodigioso, straordinario, come gli avevano insegnato al seminario di Pavia.

Alla prima messa, ricordava, era venuta un po' di gente: il comandante, quel fascistone di Tarabotto ma grande navigatore (anche se, a cinquantanove anni, aveva scambiato una balena per un relitto), uno o due ufficiali, un gruppo di marinai, i camerieri che non erano di turno e una dozzina di passeggeri, in maggioranza donne.

Don Umberto si accorse subito che si trattava di passeggeri della terza classe. Rispondevano alle frasi latine della liturgia borbottando parole che chiunque avesse fatto latino a scuola non avrebbe capito, ma il sacerdote era abituato al biascicare delle povere anime. Anche dalle sue parti facevano allo stesso modo.

A quarantatré anni compiuti, sapeva che in mare la fede restava in dormiveglia o addirittura in coma finché non capitava qualcosa di brutto: un malanno, una tempesta, una coltellata. Ne aveva avuta la prova durante tutti i suoi viaggi, dall'aprile del 1925, data del primo imbarco sul *Giulio Cesare*, poi negli anni dal 1926 al 1932 sul *Roma*, dove era rimasto fino al 15 settembre. Da tre anni era imbarcato sul *Rex*, la nave del Nastro Azzurro che era passato al francese *Normandie* nel 1935. Mussolini era troppo impegnato nella guerra di Spagna per riconquistare il trofeo.

Il *Rex* restava la nave dei divi di Hollywood. Don Cassani era stato colpito dall'atteggiamento equivoco di Shirley Temple, una ragazzina dallo sguardo voglioso che lo aveva spaventato, forse più di quella leonessa in calore, Gloria Swanson, che voleva confessarsi nella sua suite di lusso e tentava di trascinarlo davanti agli occhi di tutti. Meno male che lui pesava novanta chili. Aveva scambiato qualche parola con Clark Gable, il seduttore sempre ubriaco a cui puzzava l'alito. Gliel'aveva assicurato l'attrice italiana Isa Miranda che aveva ballato uno slow con lui.

Don Cassani non era più frastornato dagli scenari fastosi dei transatlantici, dallo stuolo di ereditiere, contesse, marchese e principesse di mezz'Europa, da tutti quei prelati in zucchetto cardinalizio con il seguito di giovani monsignori cui bisognava lasciar celebrare la messa nella cappella, pena rimbrotti telegrafati dalla curia di Genova.

Per lui contava molto di più il *Rex* degli emigranti, quell'umanità vera, i frutti disperati dell'illusione. Si ripeteva ogni giorno che non doveva dimenticare gli emigranti, soprattutto in quell'estate del 1936, l'anno della proclamazione dell'Impero, un anno in cui Mussolini mieteva consensi persino tra gli antifascisti di Parigi. Il Duce entrava nelle ossa come certi malanni.

Don Umberto sospirò ancora. Gli emigranti erano dei morti di fame, ma erano orgogliosi di portare il distintivo fascista all'occhiello: un tricolore con il fascio in mezzo, poca cosa, ma loro erano avvezzi alle povere cose.

II

Da tempo don Cassani si sentiva spiato. E anche questa volta, pensandoci, soffocò la rabbia con un Pater Noster masticato come se la sua bocca volesse mordere. Sì, aveva la netta sensazione d'essere spiato.

La sua coscienza di prete, a suo parere, non era macchiata. Che poi l'uomo prevalesse sul sacerdote e poi il sacerdote tornasse a prevalere sull'uomo era una storia vecchia quanto il Maligno. A chi poteva interessare, sul *Rex*?

Ma cosa potevano scoprire, su di lui? Don Umberto fece un gesto con le mani, come per scacciare le angosce che lo stavano assalendo nel confessionale. Chiuse in un cassettino il breviario con *Il Secolo XIX* e riprese alla luce fioca di una lampadina tascabile la lettura del nono capitolo di *Sous le soleil de Satan* interrotta il giorno prima. Si sentiva vicino allo scrittore Georges Bernanos, alla fede sanguinante del libro, che gli aveva prestato una bella ragazza della prima classe salita a Villafranca. Lui era convinto di non possedere la forza per sfuggire al male come l'abate Donissan.

In quel momento qualcuno bussò con tocco leggero alla grata del confessionale. Più che bussare, grattava. Ci siamo, si disse. Ecco finalmente un'anima pronta ad aprirsi. Vide con stupore che il penitente era un uomo dall'espressione cattiva.

«Dimmi, figliolo», disse con semplicità don Cassani.

«Non ho nulla da dirvi come prete.»

«Ma non sei qui per confessarti?»

«Forse non sono io che devo confessarmi.»

«Figliolo... non capisco. Cerca di essere più chiaro.»

«Siete voi che dovreste essere più chiaro nel vostro comportamento.»

«Il mio comportamento? Ma cosa dici? A cosa alludi?» disse don Cassani alzando la voce.

E fece per uscire dal confessionale, ma fu rimesso a sedere da uno scossone. Il mare era sempre più agitato e l'equilibrio della cappella ne risentiva, anche se era situata più o meno al centro della nave, sopra le cabine della classe turistica. L'Oceano, in quegli istanti, aggrediva di fianco.

«Rimanete al vostro posto», impose con voce un po' strozzata lo sconosciuto. E fece uno strano rumore con la bocca, una specie di singhiozzo, come se stesse per vomitare.

«Volete aiuto?» riprese Cassani dandogli del voi come per imporre una barriera.

«Siete voi ad avere bisogno di aiuto.»

La voce s'era fatta di nuovo minacciosa. Il sacerdote, che non amava le minacce, fece uno sforzo e uscì dal confessionale. Con i paramenti don Cassani appariva più imponente che mai.

L'uomo, che indossava un'uniforme della Marina mercantile, fece un balzo indietro. «Non vi azzardate a mettermi le mani addosso: potreste avere grossi guai», urlò.

Non c'era nessun altro, nella cappella. Il sacerdote si calmò. «Vi ascolto», disse.

«Sono un graduato dell'arma dei carabinieri. Voi siete sotto inchiesta perché risulta che avete aiutato alcuni sovversivi... Voi finirete davanti un tribunale speciale, dove non c'è perdono. Dovete collaborare.»

«Sovversivi?» l'interruppe don Cassani.

«Esatto: sovversivi... Voi siete negli elenchi di un gruppo che ha una sede a Genova e un'altra a Napoli. Siete iscritto a Giustizia e Libertà...»

Don Cassani si mise a urlare con tutta la sua voce baritonale: «Io sono un sacerdote e non appartengo a nessun gruppo politico... Se non scompari tra meno di un minuto ti sfascio la testa, carabiniere o no che tu sia, e poi vado a raccontare tutto al comandante...»

Il carabiniere si allontanò di qualche passo, aggrappandosi ai banchi della cappella perché il *Rex* si era piegato un po' troppo. Ma ebbe la forza di ridacchiare. «Il comandante sa della mia presenza a bordo.»

Un attimo dopo era scomparso.

III

I timori del cappellano sono giustificati. Nel novembre del 1935 è istituito presso il ministero delle Comunicazioni e, per essere precisi, all'Ufficio Disciplina della Direzione generale della Marina mercantile, un servizio ultrariservato, simile all'Ovra, la polizia segreta fascista.[1] Adotta gli stessi sistemi d'indagine, che esplorano sovente i labirinti più oscuri della vita intima delle persone prese di mira. Omosessuali. Bisessuali. Drogati. Bari. Prostitute di lusso. Mogli e mariti infedeli. Persone con pesanti segreti di famiglia. Il servizio poi sfrutta il materiale raccolto per esercitare pressioni al limite del ricatto.

Dimostrando scarsa fantasia, è stato battezzato SSSN, Servizio Speciale Sorveglianza sulle Navi. Per dirigerlo è stato scelto il tenente colonnello Carlo Civallero, un uomo freddo e senza passioni politiche. Ha una discreta cultura generale, parla inglese e francese anche se con un forte accento e sente il peso fastidioso della retorica fascista, ma lo sopporta abbastanza bene; trae le uniche soddisfazioni nell'individuare i nemici dello status quo, espressione latina che usa spesso, sottolineandola con la voce, davanti ai suoi subordinati.

E lo status quo, come si deduce dalle stesse parole, deve essere immutabile. Dieci, vent'anni, mezzo secolo, non importa. Carlo Civallero non conosce fronzoli dialettici. Dunque, lo status quo è il potere ufficiale alla cui sommità siede sua maestà Vittorio Emanuele III e, poco più sotto (ma il tenente colonnello non ha mai calcolato quanto), il capo del governo Benito Mussolini, e poi via via ministri, gerarchi e generali. Lui è convinto che turbando lo status quo il primo a essere danneggiato è il colonnello Civallero, se non altro per la necessità di adeguarsi a un nuovo status quo. Troppo faticoso!

Tra i «clienti» più noti e ricorrenti dell'SSSN, per quanto riguarda navi come il *Rex* e il *Conte di Savoia*, figurano Arturo Toscanini e Luigi Pirandello, perché sollecitano spesso il rinnovo del passaporto per i loro viaggi all'estero e soprattutto il primo non è affidabile. Poi ci sono decine e decine di fascicoli dedicati a persone meno note o addirittura di scarso rilievo sociale, nei confronti delle quali il Servizio esercita quella che Civallero chiama la «vigilanza capillare a intermittenza».

Il lavoro è svolto da sottufficiali dei carabinieri, scelti per la conoscenza delle lingue (impresa ardua a quei tempi) e per quell'atteggiamento fra il mellifluo e il cortese che in francese si chiama *savoir faire*. All'inizio sono soltanto in otto, poi diventano quaranta.

150

Il compito del Servizio, come s'è detto, va oltre il controllo dei movimenti. Punta a scoprire ogni minima incrinatura nella fedeltà allo status quo dell'equipaggio e dei passeggeri italiani, mira a conoscere se vi siano traffici, ma soprattutto deve individuare ogni attività che possa mettere a repentaglio la sicurezza nazionale. I rapporti che arrivano sul tavolo di Civallero sono di solito anonimi, e sono trasmessi tempestivamente, in caso di pericolo, attraverso le stesse stazioni radio delle navi o attraverso i consolati dei porti di scalo, oppure sono redatti alla fine dei viaggi. Sono testi stringati, scritti con uno stile ultraburocratico, a volte ridondante, e non si sa fino a che punto siano approssimativi e menzogneri.

Una volta esaminati dal colonnello sono inoltrati, dopo un'ulteriore valutazione di un ufficio speciale dell'arma dei carabinieri, al ministero delle Comunicazioni, che, a sua volta, li fa rimbalzare ai ministeri competenti e talora a Palazzo Venezia, sotto gli occhi dello stesso Mussolini, il quale deve spesso ingoiare cose assurde.

L'attività del Servizio è costante e puntigliosa. Gli informatori dopo ogni viaggio restano dieci giorni a terra, quindi devono ripartire. Possono reclutare collaboratori, soprattutto nelle file dei camerieri, del personale di bordo e dei passeggeri che hanno avuto problemi o hanno lievi conti in sospeso con la polizia italiana. Tra le prime vittime ci sono i giocatori d'azzardo che, per essere tollerati, debbono ricambiare fornendo notizie sui passeggeri.

Soltanto tre persone sono messe verbalmente a conoscenza della vera identità dei sottufficiali: il direttore della società armatrice, il comandante della nave e il commissario di bordo. Tali persone sono tenute al segreto e debbono prestare giuramento. I sottufficiali sono presentati come fiduciari del ministero delle Comunicazioni ed è taciuto che appartengano all'arma dei carabinieri. Si mischiano tra l'equipaggio come «camerieri scritturali», altrimenti detti «camerieri amanuensi», debbono scrivere per conto di passeggeri analfabeti, svolgono anche attività presso le segreterie dei commissari capi di bordo.

L'assegnazione degli uomini sulle navi a volte è cifrata. Per quanto riguarda il *Rex* si hanno solo le seguenti indicazioni incomplete.

Il 24 novembre 1935 s'imbarca il vicebrigadiere Mario Puri, nato nel 1910. Nel dicembre del 1935 assume la responsabilità del servizio sul *Rex* il brigadiere Aristide Pelissero. Nel 1936 è registrato a bordo il vicebrigadiere Giovan Battista Bai. Nel 1937 sale sulla nave il vicebrigadiere Luigi Timpano. Sempre nel 1937 c'imbattiamo nel carabiniere Rocco Savicoli, che forse deve compiere una missione di particolare delicatezza su un personaggio dello stato maggiore del *Rex*. Infine, nell'ottobre dello stesso anno, c'è il vicebrigadiere Vito Donato Addabbo, che però non dà buona prova di sé: si atteggia a personaggio influente e suscita diffidenza nell'equipaggio.

Tra il 1936 e il 1937, a bordo delle navi più grandi, quindi anche del *Rex* e del *Conte di Savoia*, vengono rinforzati gli effettivi degli uffici del turismo per le classi d'imbarco più alte. Si teme sempre di più la fuga di dissidenti nascosti in Italia e di spie che abbiano raccolto materiale sull'invio di truppe italiane nella guerra di Spagna. Come sempre, il *Rex* è il transatlantico che attira maggiormente l'attenzione.

Gli «ufficiali informatori» degli uffici del turismo sono in feroce concorrenza, per insidiare i passeggeri, con i sottufficiali dell'SSSN. Tra i due settori spionistici si segnalano spesso risse, regolamenti di conti che avvengono in zone lontane dagli occhi dei passeggeri e dell'equipaggio. Gli «ufficiali informatori» sono di solito prestanti giovanotti con esperienza nelle compagnie di viaggio, che spesso finiscono nelle cabine della gioventù straniera e soprattutto americana di entrambi i sessi, imbarcata sul *Rex* e sul *Conte di Savoia*. Il loro lavoro è più subdolo, ma meglio retribuito di quello dei carabinieri. Si deve tenere conto, inoltre, del fatto che gli «ufficiali informatori» continuano a mantenere i contatti, dopo lo sbarco, con le loro prede attraverso le lettere nelle quali abbondano annotazioni sulla visione che negli Stati Uniti si ha dell'Italia e del fascismo.

Un giorno imprecisato del 1937 il tenente colonnello Carlo Civallero invia un rapporto ai superiori dell'arma dei carabinieri. È un testo scrupoloso ma ironico, e talvolta sferzante: Civallero si vanta del fatto che i nuovi «ufficiali informatori» non siano riusciti a scoprire i carabinieri sotto le spoglie di camerieri amanuensi. Più che altro, scrive, si danno alla bella vita sul transatlantico. Il rapporto arriva sul tavolo di Mussolini che reagisce con due tratti di matita blu e ordina d'inoltrarlo a un servizio particolare, cioè a una specie di Ovra dell'Ovra.

Ma in quel periodo l'SSSN del *Rex* aveva nel mirino il cappellano del *Rex*. Soprattutto lui.

IV

Il *Rex* impensieriva la polizia del regime che lo considerava un covo di spie e sovversivi.

La polizia fascista esagerava, ma gratta gratta non aveva tutti i torti. Almeno, così si era detto più volte don Umberto, che non si riteneva né una spia, né un sovversivo ma che era pronto, spiritualmente, a dar loro una mano perché ogni uomo, a suo parere, cercava la propria strada nell'infinita ragnatela del volere divino, bastava riportarlo sul giusto filo di ragnatela, sovversivo o spia che fosse. L'importante ai suoi occhi era che si rispettassero i dieci comandamenti, soprattutto il quinto, quello che impone di non ammazzare. Don Umberto era affascinato dalla semplicità del catechismo di Pio X. Diceva che era la teologia del popolo.

Ma c'erano molte cose da scoprire, a bordo del *Rex*?

E che vengano a scoprirle, si disse don Umberto che improvvisamente, la stessa sera del brutto incontro in cappella, ricordò di aver notato l'uomo che aveva bussato al confessionale (il brigadiere Pelissero) prima dello scalo del *Rex* a Napoli al tramonto del 29 luglio.

Era stata una giornata assolata, e al pomeriggio il mare era una tavola lucente. Sul Ponte Sole si svolgeva una gara di tiro al piattello. Pur detestando le armi il sacerdote ammirava l'abilità dei tiratori. Pull! gridavano. E schizzava via verso il Tirreno quell'oggetto che appena si distingueva, e loro, pam pam, riuscivano a mandarlo in briciole.

Lo aveva visto, il carabiniere, perché si era sentito osservato come altre volte. Però quello lì non l'aveva mai notato; era una faccia nuova; un tipo magro, abbronzato, grandi occhi attenti. Era appoggiato a una balaustra e fumava.

C'era stato un altro episodio, al cinematografo. Don Cassani era in compagnia della principessa Florence B. di C. e del pugile Primo Carnera. Assistevano alla proiezione del film *Ero una spia*, la storia di un'infermiera belga, interpretata da Madeleine Carroll, che si mette al servizio degli inglesi durante la guerra mondiale. Qualcuno gli aveva dato un colpetto sulla spalla e lui s'era voltato.

«Non ha un fiammifero, per caso?»

«No, mi dispiace.»

Ma il suo vicino, che non conosceva, aveva un accendisigaro, e la fiammella aveva illuminato la faccia che aveva visto nella cappella. Aveva avuto anche il tempo di scorgere un altro volto proteso con una sigaretta tra le labbra (era quello del vicebrigadiere Giovan Battista Bai).

Si era veramente preoccupato quando aveva scoperto che una scatola di cartone bianco per le scarpe, in cui conservava alcune lettere e fotografie, era stata aperta. Don Cassani l'aveva nascosta sotto la cuccetta della sua cabina. Faceva la stessa cosa in seminario.

Conteneva lettere della madre, di alcuni confratelli di Pavia, una cartolina del giovane monsignor Ottaviani e le lettere di una persona alla quale era stato legato anni prima, quando era studente in sacra teologia del Pontificio Seminario Romano Maggiore, e che aveva avuto il suo peso nella decisione d'imbarcarsi e di fare apostolato tra le anime dei naviganti.

(Di questa persona non s'è mai conosciuto il cognome, pare che di nome facesse Enrica o Enrichetta e si ricava dai sentito dire solo qualche briciola della sua vita. Viveva in una cittadina non lontana da Roma, Rieti. Era di famiglia agiata.)

Che occhi perfidi avessero potuto leggere ciò che la fanciulla gli aveva scritto lo riempiva di furore e d'indignazione. Don Cassani sapeva perdonare, perché gli anni trascorsi in mare gli avevano insegnato che l'animo umano poteva oscurarsi di peccato come il cielo sull'oceano. Ma la sua spontaneità, che aveva ereditato dal padre mugnaio, lo spingeva spesso al galoppo o a pericolose impennate. Allora erano guai, per chi era a portata di tiro. Tanti anni prima il cardinale Pompili, vicario di papa Pio XI, che lo aveva ordinato sacerdote, gli ricordava di tanto in tanto: «Quando senti che Umberto ti sfugge, dagli una buona tirata di redini».

La giovane scriveva con parole semplici, schiette, limpide; parole uscite dal cuore. Ogni volta che le rileggeva, don Cassani pensava all'immagine di santa Teresa del Bambin Gesù, l'inquieta religiosa del Carmelo di Lisieux. Il suo era un Dio di tenerezza e di libertà, ma era anche la sola luce nel buio, mentre il Dio della sua amica (poteva chiamarla così?) risplendeva nel sole e più del sole.

La ragazza aveva preso i voti solenni nel 1922, si era fatta suora un anno prima che lui fosse ordinato sacerdote ed era stata mandata molto lontano dall'Italia, in un avamposto della Chiesa. Non ne aveva avuto più notizie né aveva cercato di averle, ma il ricordo gli bruciava ancora.

Erano sempre nitide le sequenze delle ore trascorse insieme nella vecchia Roma.

Passeggiano. I vicoli romani sono luoghi sterminati per le loro chiacchiere. Lui le ha raccontato tutto di sé. La sua famiglia di mugnai, prima a Ozzero, poi a Torre d'Isola, un paese dove pare che tutti siano parenti. La morte del padre Angelo quando ha appena cinque anni e un fratellino più piccolo si tiene avvinghiato alle sue ginocchia. La madre Ester che si risposa nel 1898 con lo zio Ernesto, fratello del papà.

Ernesto fa il mediatore e così la famiglia sale di un gradino nella scala sociale. Ecco che il cielo manda la sorella Angela e il fratello Ercole, diventano sempre più numerosi e passano da Torre d'Isola a Bereguardo. Sono luoghi abitati da popolazioni semplici fatte con un identico stampo, gente incrostata alla parrocchia dove si è stati battezzati e dove poi si è andati a nozze. E c'è il vento che spesso porta odori forti di terra, paglia, bestiame e foglie marcite.

E la ragazza ascolta. Nessun testimone l'ha mai vista.

Due mani enormi sventolano davanti ai suoi occhi e quella voce baritonale sembra che da un momento all'altro possa trasformare il suo compagno in un personaggio dell'*Aida*. Di certo i passanti si voltano.

Lo studente di teologia dice che la fede, quand'era ragazzo, gli entrò nell'animo come nasce una pianta, prima il seme, poi un filo d'erba, poi l'arbusto con le sue radici, sempre più forte, più vigoroso e che un giorno dovrà raccontare tutto questo in una predica. Forse è un po' ingenuo, ma certe ingenuità fanno comunicare con la gente.

Poi le parla dei giorni di guerra e del ritorno con il grado di sergente nel settembre del 1919, la mamma era tutta felice, le parla dei giorni del seminario di Pavia e del sogno ricorrente di trovarsi su una zattera in mezzo al mare, tra onde altissime e nuvole che gli passano sulla testa come risucchiate da qualcosa di misterioso oltre l'orizzonte.

«Il mare ti chiama», dice semplicemente la ragazza. «Rispondigli.»

E nasce così in lui la decisione di andare per mare.

V

Don Cassani era un gran predicatore non solo per la forza delle immagini che evocava, ma anche per la potenza della sua voce. Sua madre Esterina gli diceva che avrebbe potuto fare fortuna nella lirica e che tutto sommato l'Oceano era diventato il suo palcoscenico. La fede portata da una voce baritonale faceva effetto sui fedeli. Nelle cerimonie all'aperto poteva battere l'urlo del vento. Peccato che sulle navi i fedeli fossero scarsi.

Una sola volta gli era capitato di predicare a una folla di passeggeri ed equipaggio. Era accaduto, subito dopo Gibilterra, nell'estate del 1925. Aveva trentadue anni ed era imbarcato da pochi giorni sul *Giulio Cesare* della Navigazione Generale Italiana, una turbonave bianca costruita in Inghilterra. Era il suo primo viaggio. L'iscrizione nelle matricole della gente di mare di prima categoria quale cappellano era avvenuta il 28 maggio con il numero 72470 del compartimento marittimo di Genova. Don Cassani lo portava inciso nella memoria.

Con il suo sangue contadino nelle vene era forte come un toro. Il *Giulio Cesare* era sfuggito a una collisione con un bastimento sconosciuto durante una tempesta. Una strana nave tutta buia, senza neanche una luce di posizione, che era piombata da dritta su di loro scivolando lungo un'onda immensa di cui non si scorgeva la cima. Tutti credettero a un miracolo; nessuno fu mai capace di rintracciare il piroscafo sui registri di navigazione.

Don Umberto celebrò la messa sul ponte più alto e pronunciò una predica semplice, la cui sostanza fu in queste parole: «Anche se non fa miracoli un giorno sì e un giorno no, Gesù sa che la natura è sua complice per il bene dell'umanità».

Non s'interrogò mai sul confine dottrinale che aveva superato con quelle parole.

VI

Dal mese di giugno c'era allarme sul *Rex* per ordigni esplosivi che potevano essere stati collocati tra i bagagli o la posta. Le perquisizioni non avevano dato alcun esito. Il comandante Tarabotto era angosciato, ma non lo dava a vedere. Si temeva addirittura l'esistenza di «lapis incendiari» che insidiavano specialmente i bambini. Da New York si segnalava che gruppi d'italiani dissidenti erano sempre pronti a organizzare manifestazioni di protesta all'arrivo e alla partenza del *Rex*. Un inserviente, durante la navigazione, aveva trovato un pacco sospetto nei pressi del bar della veranda Pineta, lo aveva buttato in mare e aveva poi riferito ai superiori.[2]

Su questi episodi si manteneva un gran riserbo. La gaia vita di bordo non doveva essere turbata. Balli di gala, spettacoli di varietà, cinema, giochi all'aperto, lezioni di tango e mille storie d'amore: la grande nave solcava l'Oceano per la quarantottesima volta.

Il comandante Tarabotto era stato informato dai servizi dell'SSSN che la sinistra politica ufficiale e clandestina in Europa e negli Stati Uniti era sempre più infuriata per l'intervento italiano in Spagna. E che il *Rex*, come nave simbolo del regime, poteva essere il primo obiettivo da colpire. Gli anarchici e i membri di Giustizia e Libertà, movimento composto da socialisti, liberali e repubblicani, erano pronti ad agire.

Il 4 agosto, a due giorni dall'arrivo a New York, il comandante aveva davanti a sé, nel suo alloggio, il vicebrigadiere Pelissero. Stava leggendo una relazione che il militare intendeva telegrafare a Roma. Una frase lo colpì: «...alcuni elementi che rivestono tuttora, a bordo del *Rex*, le migliori occupazioni svolgono con i passeggeri e a New York propaganda contro l'Italia...»

«Ma a chi alludete?» chiese.

«Mi riferisco, comandante, ad alcuni degli ufficiali di bordo, che, pur non essendo antifascisti, certo non parlano bene della situazione italiana... E non solo a loro...»

«Ho capito: vi riferite agli ufficiali Ferrari, Biancotti... Sì, raccontano storielle, certo, danno fastidio, ma di lì a...»

«Scusi se la interrompo, comandante. Ma non mi riferisco solo agli ufficiali che raccontano barzellette sui dirigenti del Partito nazionale fascista.»

«Allora a chi altro?»

«Mi riferisco al cappellano Cassani e ad altre persone. Ma soprattutto a Cassani, come può testimoniare il vicebrigadiere Bai.»

«Siate più chiaro...»

«Cassani è un nemico del fascismo. Stiamo raccogliendo le prove. Ha contatti pericolosi. L'ho già messo in guardia. Ci risulta che il Cassani abbia amici influenti in Vaticano, secondo i miei superiori e secondo l'Ovra...»

«Brigadiere, il *Rex* non vuole scandali, almeno fino a quando lo comanderà il sottoscritto. Se i giornali italiani rispettano il fascismo e l'operato di Mussolini, lo stesso non si può dire dei giornali stranieri. Un uomo come Cassani, tra l'altro amico di un prelato importante come Spellmann, può far pubblicare notizie dannose. Sorvegliatelo con maggiore scrupolo e tenetemi informato se il cappellano, che fa parte dello stato maggiore della nave, commette un passo falso. Mi sono spiegato?»

«Signorsì», disse il brigadiere secondo l'uso militare.

All'arrivo a New York, il 6 agosto 1936, il comandante parlò con il console generale italiano e rafforzò il servizio di guardia sul *Rex*. Anche il console gli aveva suggerito di tenere gli occhi bene aperti: «Si temono attentati come durante il periodo delle sanzioni per l'Etiopia».[3]

Di giorno la sorveglianza fu affidata a 6 ufficiali e 62 uomini tra sottufficiali e marinai; di notte gli ufficiali erano 3 e gli uomini 70. Molti erano armati di pistole. Anche la polizia di New York fu messa in allarme sui moli. A bordo del *Rex* si svolse una riunione sulla sicurezza alla presenza del console generale, di esponenti del Partito nazionale fascista della metropoli americana e dell'ingegner Palanca, direttore della Italian Line. C'era l'usanza di far salire a bordo prima dell'imbarco quelli che accompagnavano i partenti o anche semplici visitatori. Si pagavano 10 cents che venivano destinati ad associazioni americane di assistenza ai marittimi. Alla partenza Tarabotto tentò di limitare l'accesso per motivi di sicurezza, ma si verificarono incidenti tra la folla che premeva e non riusciva a entrare.

Si udì anche gridare in italiano: «Mussolini ha paura di noi?»

VII

I brigadieri Pelissero e Bai dell'SSSN non videro don Cassani la notte in cui confessò un clandestino che era protetto da alcuni fuochisti e che doveva sbarcare in Italia: era iscritto al Partito comunista italiano, aveva una polmonite e temeva di morire.

«Padre, sono comunista... sono un peccatore...»

«In cielo non si fa politica.»

L'uomo guarì il giorno stesso in cui il *Rex* entrò nella baia di Napoli e i motoscafi, come ormai era usanza, gli andarono incontro come delfini festosi.

I militari dell'SSSN non trovarono neanche le lettere che alcuni antifascisti avevano spedito ai famigliari e che, grazie a don Cassani, non sarebbero finite nelle mani della polizia. Il sacerdote se le portava sempre dietro infilate nella cintura, sotto la tonaca; la storia della scatola da scarpe lo aveva scottato.

Erano lettere «innocenti», come pretendeva il cappellano del *Rex*. Dovevano esserci solo informazioni sulla salute, sul lavoro, sulla sofferenza e sulla vita americana. Una di quelle lettere «antifasciste» la scrisse sotto dettatura e rimase imbarazzato quando l'uomo, un contadino calabro analfabeta della campagna di Soverato, rivolgendosi alla fidanzata che era rimasta a casa gli dettò: «Speriamo che il postino non rubi tutti i baci che ti mando».

Né Pelissero, né Bai riuscirono a trovare le prove contro don Cassani. E non ci riuscirono neanche i loro successori, Luigi Timpano, Rocco Savicoli e Vito Donato Addabbo e tantomeno gli agenti dell'Ovra, di cui non si conoscono i nomi. Gli tesero mille trappole. Uno di loro s'imbarcò vestito da prete (Savicoli). Chiedeva sempre d'essere confessato e don Cassani lo accontentava. Poi un giorno domandò se don Cassani intendesse confessarsi. E il cappellano rifiutò dicendo che il suo confessore preferito era un monsignore di nome Alfredo Ottaviani che apparteneva alla Congregazione per la Dottrina della Fede.

«Il Sant'Uffizio, padre, capisce?» disse rivolgendosi al falso prete.

E questi impallidì intravedendo, forse, graticole e strumenti di tortura.

Ma i carabinieri e l'Ovra si vendicarono.

Avevano troppo odiato quel bel prete alto, roboante, predicatore di razza, che citava sant'Agostino e san Tommaso, che andava su e giù con passo leggero nella speculazione teologica e filosofica dei Padri della Chiesa, che sembrava un amico intimo di Platone tanto lo raccontava così bene e che parlava in latino con i vescovi americani perché volevano tenersi allenati.

Don Cassani rischiò brutto.

VIII

Era una brutta giornata di guerra del 1941. Sul tavolo di Alfredo Ottaviani giunse una strana lettera anonima. All'attenzione di Sua Eccellenza, eccetera, eccetera. Il prelato, per prima cosa, andava sempre in fondo a una missiva per vedere se ci fosse la firma e se non c'era, non cominciava nemmeno a leggere. Stavolta, però, si trattava di un biglietto scritto a mano appuntato con uno spillo a un altro testo battuto a macchina. Era una specie di rapporto datato

Genova 25 febbraio 1939. Erano tre fogli su cui appariva, come intestazione, la dicitura: Società di Navigazione «Italia»-Piroscafo *Rex*.

Alfredo Ottaviani scorse rapidamente le prime nove righe, poi sussultò alle parole «Cappellano di bordo». E fu costretto a leggere:

È imbarcato sul piroscafo *Rex*, quale cappellano di bordo, Mons. Don Cassani. Egli vi ha solide radici essendo a bordo con detta carica fin dal viaggio inaugurale della nave. Sul conto del predetto non corrono buone voci a proposito della di lui condotta morale. Stando all'estese [*sic*] dicerie parrebbe infatti che il mentovato sacerdote, di aitante e prestante fisico, si occupi e si preoccupi di molto piacere alle passeggere, tra le quali ei [*sic*] mieterebbe non indifferenti allori. È inoltre notoria ed estesamente sempre commentata la di lui spiccata predilezione per la conversazione grassa anche con gli imbarcati, nonché le speciali esagerate cure che egli ha per la propria toilette, tantoche spessissimo (specie poi se vi sono conquiste in vista lo [*sic*] che accade di frequente) egli compare azzimato e profumato più da viveur che da sacerdote. Riferiscesi infine che sul conto di Don Cassani corrono dicerie circa il traffico di valuta...[4]

A questo punto Alfredo Ottaviani interruppe la lettura e, acceso un fiammifero, bruciò il rapporto anonimo, sicuramente frutto di perfidia. La polizia fascista era capace di tutto.

«Calunniatori», esclamò.

E come per reagire telefonò subito a don Cassani.

«Ti annuncio, gli disse, che tra brevissimo tempo sarai nominato Ufficiale nella Congregazione del Sant'Uffizio.»

Ottaviani, futuro cardinale, non si sbagliava mai sugli uomini che erano al suo servizio.

Note

1. Archivio centrale dello Stato, ministero della Marina mercantile, Direzione generale personale e affari generali.

2. Archivio centrale dello Stato, ministero dell'Interno, divisione di Polizia politica.

3. Archivio centrale dello Stato, ministero della Marina mercantile, Direzione generale personale e affari generali.

4. Il rapporto anonimo si trova all'Archivio Centrale dello Stato, presso la divisione della Polizia politica (ministero dell'Interno, numero busta 245, rif. fascicolo n. 8) e non è stato riportato interamente in considerazione delle gravi e anonime accuse in esso contenute, accuse non sostenute dalla benché minima prova. Come arricchimento di dati e informazioni sulla figura di monsignor Luigi Umberto Gaetano Cassani, risulta che egli è nato il 22 maggio 1893 a Ozzero (Milano), figlio di Angelo Cassani ed Esterina Mariani. La famiglia si è spostata nel comune di Torre d'Isola nel 1904 e a Bereguardo, provincia di Pavia, nel 1908. Cassani è stato arruolato di leva nel regio esercito il 24 settembre 1913 (matricola 31555) e congedato con il grado di sergente il 5 settembre 1919. Dopo gli studi a Pavia e a Roma diventa cappellano sui transatlantici. Don Cassani figura nei registri della gente di mare di prima categoria quale cappellano dal 28 maggio 1925 con il numero 72470.

Prima del *Rex* è stato imbarcato sul *Giulio Cesare* (dal 29 aprile 1925 al 2 agosto 1926), poi sul *Roma* per tre volte (la prima dal 21 settembre 1926 al 9 luglio 1928, la seconda dal 10 agosto 1928 all'8 luglio 1930, la terza dal 20 agosto 1930 al 15 settembre 1932), sempre iscritto al compartimento di Genova.

Sale a bordo del *Rex* il 27 settembre 1932 e vi resta sino al 29 aprile 1937, almeno secondo il comando generale delle capitanerie di porto. Altre fonti indicano come data il 1939.

Sbarcato dal *Rex*, don Cassani va a Roma, e nel 1941 entra come Ufficiale nella Congregazione del Sant'Uffizio, ora Congregazione per la Dottrina della Fede, dimostrandosi metodico e nello stesso tempo illuminato nell'esercizio della propria attività. Inoltre viene insignito dal papa del titolo di Prelato Domestico, ed entra a far parte anche del Capitolo della Basilica di Santa Maria in Cosmedin. Prima della sua morte, avvenuta a Roma il 10 novembre 1975, torna regolarmente nella sua terra, specialmente a Bereguardo e a Zelata, senza trascurare Pavia, dove ha fatto gli studi da seminarista. Il centro dei suoi ricordi famigliari, della sua memoria più intima, è comunque Zelata, dove d'estate incontra amici e parenti che ancora lo ricordano per la carica passionale delle sue prediche. È sepolto nel cimitero di Zelata.

10

UNA cena fantastica. Le spie dell'Ovra e i giornalisti se l'erano persa. Il menu del *Rex*, quella sera, prevedeva caviale fresco d'Astrakan, tartaruga chiara allo sherry, suprema di sogliola di Fécamp o filetto di tacchino alla fiorentina, asparagi della California o pisellini alla romana e, come dessert, cassata Donna Rosa, neve brasiliana, crostatina alla baiadera e altre frivolezze. Il premio Nobel Luigi Pirandello, per cominciare, scelse la tartaruga allo sherry, il sommo direttore d'orchestra Arturo Toscanini preferì il caviale, imitato dall'attrice Isa Miranda. Il pugile Primo Carnera, che amava i cibi semplici, chiese il tacchino. Nel secchio di alpacca pieno di ghiaccio spuntava una bottiglia di champagne Krug, millesimo 1928.

Erano le 19. Il mare si manteneva calmo e la sala da pranzo della classe speciale, con il soffitto a cassettoni e con le pareti di un verde da campagna inglese, si poteva dire deserta. Il tavolo era disposto in un angolo, lontano da possibili sguardi indiscreti tranne quelli dell'Atlantico che occhieggiava, indossando il suo blu preferito, attraverso le grandi vetrate.

Arturo Toscanini sospirò sedendo accanto a Luigi Pirandello, fascista della prima ora. Bella, sensuale ed elegante, Isa Miranda sperava in una parte cinematografica che Pirandello poteva farle avere e Primo Carnera, da poco sceso dal suo trono di campione del mondo dei pesi massimi, si era ormai rassegnato all'idea di stare a tavola con tali personaggi. Era massiccio, sorrideva bonariamente e le poderose mani abbandonate ai lati di piatti e posate erano morbide e ben curate. Parevano inoffensive. Sperava ingenuamente di trovare l'occasione e lo spazio per recitare qualche verso dell'*Inferno* di Dante, che conosceva a memoria, anche se non aveva neanche finito la scuola elementare.

Le chiacchiere dei quattro commensali possono essere ricordate in questo modo, tenendo conto che Isa Miranda e Primo Carnera non osarono quasi mai aprire bocca e che l'attrice memorizzò con cura ogni frase. Come se imparasse una parte.

Mentre aspettava la tartaruga allo sherry, Pirandello si rivolse ai suoi compagni di tavola con queste parole. Amava sorprendere. Infatti tutti restarono sorpresi.

«Quanti sono morti in Italia che si credono ancora vivi? E quanti vivi sono oggi sopraffatti e soffocati dal peso dei morti? Come mi metterei volentieri a fare il becchino per sbarazzare l'Italia da tutti i cadaveri che l'appestano!»

Toscanini s'innervosì subito, credette che quelle parole fossero in qualche modo rivolte alla sua persona e, arricciandosi i baffi, disse: «Scusi, ma lei cosa intende per morti che si credono ancora vivi? Tra quei morti figurerei per caso anch'io?»

Pirandello tentò subito di correggere il tiro: «Maestro, come si può pensare alla sua persona? Io non sono un uomo politico e quindi esprimo un'impressione piuttosto che un giudizio. Attribuisco un gran valore psicologico e innovatore al trionfo del fascismo e al suo metodo di azione, anche se nella sua teoria dell'azione mi sembra che ci sia dell'estetismo…»

Toscanini lo interruppe: «Estetismo? Lei vorrà dire violenza! Ricordi prima di tutto questo: io amo la mia Patria. Ho diretto durante la guerra la mia banda sotto i bombardamenti degli austriaci, al Monte Santo, mentre le truppe attaccavano con la baionetta. E dopo ogni pezzo gridavo Viva l'Italia! Sull'amore per il mio Paese non si può dir nulla. È della violenza fascista che si deve…»

Pirandello alzò le braccia in segno di resa: «Il suo amore per l'Italia, Maestro, è conosciuto. E allora perché non condivide l'opera compiuta da Mussolini per il nostro Paese?»

Toscanini batté un pugno sul tavolo, spaventando il primo cameriere Giuseppe Bonura: «Ma allora lei vuole proprio ch'io mi alzi da tavola?» E borbottò in direzione di Isa Miranda che sedeva alla sua destra: «Ha fatto meglio mia moglie Carla a restare in cabina».

Pirandello: «Maestro la prego…»

Isa Miranda: «La scongiuro… Una così bella serata».

Carnera tacque e ingoiò un boccone di tacchino alla fiorentina. Il pugile appariva molto lontano da quella tavola. S'era ricordato, come gli accadeva spesso, di Ernie Schaaf, che nel 1933, due giorni dopo l'incontro al Madison Square Garden di New York, era morto per un'emorragia cerebrale provocata da un gancio sinistro. Carnera non se l'era mai perdonato. «Ho ucciso un uomo», ripeteva.

Isa Miranda, per calmare le acque fra Toscanini e Pirandello, si rivolse a quest'ultimo: «Il suo viaggio a New York non sarà una conferma alle dicerie che corrono nel nostro ambiente? Voglio dire: è vero, se mi consente l'audacia, che intende lasciare l'Europa irrimediabilmente invecchiata e vivere negli Stati Uniti dove, a detta dei giornali, spera di trovare spirito di freschezza e di giovinezza? E, perdoni ancora l'audacia, è vero che lei trarrà un film dal suo dramma *Sei personaggi in cerca d'autore*?»

Luigi Pirandello sorrise amabilmente: «Cara e bella signora, rispondo subito alla sua prima domanda. Soffro all'idea di poter essere tentato di lasciare una terra che ha dato i natali a un uomo di potenza, di sentimento e di mirabile lucidità d'intelligenza. Mi riferisco a Benito Mussolini…»

(Pirandello notò che Toscanini si agitava sulla sedia, ma proseguì.)

«…Vorrei, certo, che Mussolini fosse più coerente nell'azione. Deve incontrare difficoltà che gl'impediscono, forse, di andare sino alle estreme conseguenze della sua idealità. Ha il merito di avere creato e aver messo in valore l'Italia. E arriviamo alla sua seconda domanda: per i *Sei personaggi in cerca d'autore* Irving Thalberg, direttore generale della Metro Goldwyn Mayer, che attualmente, beato lui, si sta riposando sulla riviera francese, mi ha parlato a lungo giorni fa della riduzione per lo schermo ed è stato molto soddisfatto della sceneggiatura che io stesso ho preparato per rendere questo mio lavoro il più possibile cinematografico. Il parlato è ridotto al minimo. E l'autore, ossia Pirandello, parteciperà alla stessa azione.»

Isa Miranda: «Così lei...»

Pirandello: «Così io comparirei in scena sotto le vesti dell'autore, di Pirandello, di me stesso...»

Isa Miranda abbassò gli occhi: «Stasera mi sento sempre più audace... S'è parlato di una versione cinematografica del suo romanzo *Il fu Mattia Pascal*[1] che lei vorrebbe fosse affidata al regista Pierre Chenal. Sarei immensamente onorata d'interpretare il personaggio di Luisa...»

Pirandello ammiccò: «Lei sarebbe una magnifica Luisa. C'è tanto senso d'attesa nel suo sguardo...»

«E del cinema italiano cosa pensa?»

«La cinematografia italiana, per affermarsi, ha bisogno, per ora, di pochi film, ma buoni. Tutto il resto, la zavorra che si spaccia in suo nome, è nociva, e tende a produrre l'effetto contrario. Il 'filmino' borghese, la commediola e il 'drammuccio' non sono certo contributi attivi alla nostra cinematografia, che deve risorgere nel clima di oggi. A tal fine deve essere combattuta ogni mediocrità e ogni impresa deve avere dinanzi a sé, come esempio di volontà tenace, le opere colossali che il mondo ci invidia e che sono state realizzate in pochi mesi con passione e ardimento dall'Italia fascista.»

Fino allora al riparo del proprio silenzio, Toscanini alzò la mano come un gendarme che dà l'alt: «Allora è proprio vero che le è stato affidato il compito di esaltare a New York la politica dell'Italia fascista...»

171

E Pirandello, pugnace: «Lei all'inizio manifestò simpatia per Mussolini».

Toscanini: «La storia risale al 1919... Le riunioni di piazza San Sepolcro mi affascinarono. C'erano idee nuove, come quella del voto alle donne. Eh sì, mi avvicinai a loro. Poi ci fu la marcia su Roma... Ebbene, sappia che io non ho paura di parlare, e poi quei signori da tempo spiano i miei telefoni italiani. Mi ricordo che dissi a un amico: se fossi capace di uccidere un uomo, ucciderei Mussolini... Tale sentimento ha conservato la sua forza».

Pirandello: «Pazzesco! Ma si rende conto di ciò che dice?»

«Certo. Mi hanno perseguitato! Quante bacchette ho spezzato con i denti! Ogni volta pretendevano che in teatro suonassi *Giovinezza*. Ho sempre rifiutato. A Bologna, nel 1931, mi hanno aggredito. Avevo sessantaquattro anni. Vuoi suonare *Giovinezza*? No, rispondo. E nemmeno i carabinieri osarono intervenire allorché quei malviventi mi presero a schiaffi. Io ero con Carla, mia moglie, e dovetti trovare rifugio nella mia automobile. E lei sa come commentò il suo caro Mussolini questo atto?»

Pirandello, imbarazzato: «No».

«Disse: 'È stata una buona lezione per questi musicisti cafoni'. A Bologna era una masnada inqualificabile. Ma la schiena si curva quando l'anima è curvata. La mia vita è stata, è e sarà sempre l'eco e il riflesso della mia coscienza che non conosce infingimenti, né deviazioni di sorta; una coscienza, caro lei, rafforzata da un carattere spigoloso, d'accordo, ma limpido come un cristallo tagliente.»

Pirandello alzò le spalle: «Lei dirige un'orchestra di

cento persone, Mussolini ne deve dirigere una di quaranta milioni di persone. Su Mussolini si sono diffuse false idee che io ho smentito. Si riteneva che egli facesse una politica antiproletaria, mentre io ho spiegato, con articoli e con discorsi, che egli non è contro il proletariato se il proletariato non è contro la nazione. Lei non è un proletario, certo, ma potrebbe fare un atto di amicizia».

Toscanini: «Atto di amicizia o di sottomissione? Mi fa picchiare dai suoi sgherri. Io vedo più in là... È un uomo che percorrerà la stessa strada di Hitler. I grandi musicisti ebrei sono stati boicottati e lasciano la Germania...»

Isa Miranda rivolse a Toscanini uno sguardo comprensivo: «Povere vittime innocenti...»

Pirandello la fulminò con gli occhi e poi fece un gesto a Toscanini per invitarlo a continuare. E Toscanini riprese con foga: «Ma lei dove vive, Pirandello? Non vive in Italia? Come si può permettere, il suo Mussolini, di mettere il nostro Paese in queste condizioni! È una vera porcheria. È inaudito che una persona non possa leggere il giornale che vuole e debba credere a tutto quello che stampano i fascisti! È una cosa dell'altro mondo! Poi, non è nemmeno una politica intelligente perché genera dubbi sempre maggiori. Un popolo con il nodo scorsoio alla gola, ecco cosa siamo! Si deve sapere solo ciò che vogliono loro. Non dev'esserci che una testa sola! Il popolo dev'essere tenuto nell'ignoranza. Peggio che in Russia. Questo non è più vivere. Non vedo l'ora di essere lontano perché non ne posso più. Vedere la mia gente resa schiava. Si parla di schiavi neri... Noi siamo gli schiavi bianchi. La devi pensare come la pensa quella testa là. E io non la penserò mai come la pensa lui. Se per un momento ho avuto quella debolezza... sappia che me ne vergogno. E c'è della gente…» (E Toscanini indicò platealmente Pirandello) «… che non sente niente e che vive bene così. Invece io provo una sofferenza che mi annienta».

Toscanini aveva alzato il tono della sua voce roca, e i pochi clienti sopraggiunti impallidirono.

Pirandello non si dette per vinto: «Lei, Maestro, afferma di voler abbandonare l'Italia. E deve aver già scelto gli Stati Uniti. Ha la sua bella Filarmonica laggiù. Ma ha mai pensato al dominio del progresso meccanico? Io l'ho gridato, ad alta voce, agli americani. Non mi piace il loro progresso meccanico. Non aggiunge niente alla vita. Pare che debba arricchirla, invece la impoverisce. Se io fossi arbitro dei destini del mondo, sopprimerei le macchine e tutti quelli che le hanno inventate. L'errore fondamentale su cui riposa tutta la vita americana è quello stesso che, secondo me, infirma la concezione democratica della vita. Io sono antidemocratico, perché la massa ha bisogno di chi la formi. Il benessere per il benessere, la ricchezza per la ricchezza non hanno né significato, né valore. Il denaro inteso così è carta sporca. Da noi, oggi, avrebbe ben altro scopo, e susciterebbe ben altre energie. In Italia la ricchezza creerebbe valori spirituali».

Arturo Toscanini si alzò, buttò il tovagliolo sul tavolo e disse: «Dico a lei ciò che un giorno dissi alla mia orchestra. Lei è un grande scrittore. La sua prima qualità dovrebbe essere l'umiltà. Sa qual è la prima qualità d'un direttore? L'umiltà, l'umiltà… Se qualcosa non va quando dirigo, è perché non ho capito bene l'autore. Chi pensa che Mozart, Beethoven, Wagner, Verdi abbiano sbagliato e siano da correggere, è un imbecille. Bisogna studiare di più, ricominciare a studiare; soprattutto capire meglio…»

Pirandello arrossì e restò con lo sguardo puntato sulla piccola ed eretta figura che si allontanava verso la scalinata. Ci fu chi applaudì, anche se non aveva sentito nemmeno una parola di Toscanini. Il Maestro si applaudiva e basta.

E fu allora che Carnera cominciò a parlare. A testa bassa, guardando il piatto. «Dio mi ha dato il dono della forza, e io ho cercato di metterla a frutto attraverso il pugilato. Sapete, io credo in Dio, lo prego ogni sera in ginocchio. Porto sempre con me la medaglietta di san Cristoforo, il protettore dei viaggiatori e degli emigranti, perché sono un viaggiatore e sono stato un emigrante. La boxe è stata prima un lavoro per sfamarmi, poi un mezzo per dare una disciplina alla mia vita, infine un grande amore. Poi ho ucciso Ernie Schaaf e Dio mi ha punito. Sono stato sconfitto, e il regime fascista, che aveva sfruttato il campione, ha fatto di tutto per farmi dimenticare. Essere battuti prima da un ebreo e poi da un negro era troppo, per un atleta che combatteva in nome e per conto di Mussolini, un grande smacco. Il fascismo mi ha giudicato un traditore. Ma io continuerò a combattere. E non mi batterò per Mussolini, ma per Carnera e la sua famiglia. Che Dio mi perdoni.»[2]

E Carnera si alzò e venne applaudito, anche se nessuno aveva capito le sue parole.

Il *Rex* viaggiava a 28 nodi, estraneo, regale, indifferente.

Note

1. Vittima di moglie e suocera tiranniche e avare, Mattia Pascal fugge di casa. Nel fiume del suo paese è trovato un cadavere; si pensa che si tratti di Mattia Pascal, il quale è dato così per morto. Egli, invece, vince al gioco una grossa somma e si stabilisce a Roma, in una pensione, dove s'innamora di Luisa, la figlia del proprietario. Intende sposarla. Ma la sua falsa identità (Adriano Meis), che sta per essere scoperta, glielo impedisce. Allora è costretto a tornare al suo paese, trova la moglie risposata e ricorre a uno stratagemma per dare validità alla sua falsa identità. Puro pirandellismo.

2. Il dialogo sul *Rex* è un puzzle, costruito con frasi vere, realmente pronunciate dai protagonisti in diverse occasioni e tratte da testi e interviste e talora rimodellate ai fini dello scenario che potrebbe dare un senso alla vita di esponenti dell'intellighentsia italiana degli Anni Trenta. Verso la fine del dicembre del 1933 Arturo Toscanini era sul *Rex*, su cui viaggiavano anche i musicisti Horowitz (suo genero), Milstein e Piatigorsky. Viaggiò anche sul *Conte di Savoia*, ma ebbe sempre un debole per il vincitore del Nastro Azzurro. Sul finire dell'ottobre 1935 Pirandello tornò dall'America a bordo del *Rex*, che era fra i suoi transatlantici preferiti. Lo scrittore morì nel dicembre del 1936. Toscanini nel gennaio del 1957, a Riverdale, negli Stati Uniti, nove giorni prima del suo novantesimo compleanno.

Primo Carnera viaggiò effettivamente sul *Rex*, come Isa Miranda. Max Baer, pugile ebreo, gli strappò il titolo di campione del mondo dei pesi massimi nel giugno del 1934. Ottenne nella sua carriera 88 vittorie, con sole 15 sconfitte, e morì nel giugno del 1967 nel suo paese natale, Sequals, in Friuli.

Isa Miranda fu un'attrice molto stimata negli Stati Uniti e in Italia. Lavorò con Mario Soldati, Carmine Gallone, Mario Camerini, Robert Florey (accanto a Ray Milland), Renato Castellani, Carlo Lodovico Bragaglia (accanto a De Sica e Cervi), René Clément (accanto a Jean Gabin), Max Ophüls (accanto a Gelin, Gérard Philippe, Barrault, Reggiani, Simone Signoret...), André Cayatte, Eduardo De Filippo, Damiano Damiani eccetera. Morì nel 1982.

176

11

*Il fascismo è una religione, politica e civile, per-
ché ha una concezione personale dello Stato e un
modo originale di concepire la vita...*

S. GATTO, dal periodico *Il Raduno*, aprile 1928

I

26-28 novembre 1936 - Porto di Napoli

MI chiamo Romano Mussolini[1] e ho dieci anni. Sono uno dei
figli dell'uomo che governa l'Italia. E nessun amico o cono-
scente osa fare osservazioni, almeno in mia presenza. Potrei
essere un ragazzo come tanti altri. Ma so ciò che esprimono
certi sguardi, specie quelli dei compagni di scuola. Ammirazione... invidia... stupore... fastidio...

C'è sempre una domanda che brucia sulla punta della
loro lingua: ehi, Romano, che significa per te il fatto di
chiamarsi Mussolini? Ti senti sulla vetta di una montagna e
tutti noi dobbiamo stare ai tuoi piedi?

Che posso rispondere? Come spiegare ai compagni cosa
si prova quando si ha un padre che tutti acclamano? Duce!
Duce! Duce! Credo che mi darebbero del bugiardo, se di-
cessi che mi sento un ragazzo normale.

Sono semplicemente uno dei cinque figli di Mussolini, il penultimo perché l'ultima è Anna Maria. Edda è la più grande, poi vengono Vittorio e Bruno e in coda noi due, Romano e Anna Maria appunto, i piccoli.

Può apparire strano, ma è stato il *Rex* a farmi capire cosa vuol dire essere il figlio dell'uomo che ha nelle sue mani il destino dell'Italia. L'uomo che io chiamo semplicemente papà, con il quale gioco, scherzo, che mi dà delle occhiatacce per la pagella e che mi ha donato il foglio di diario su cui aveva scritto la data della mia nascita. Io l'ho incorniciato e appeso al muro della mia stanza di Villa Torlonia, accanto al grammofono a manovella che mi ha regalato Edda, accanto ai dischi che mi ha regalato Vittorio. Ai miei occhi, credetemi, è un padre come un altro, ma la gente pensa: eeeh, un padre come un altro... tuo padre è il Duce, Romano mio, e mi raccomando la D maiuscola e soprattutto di darle impeto con le corde vocali quando la pronunci.

Che posso farci? Per me papà è papà. Papà ha fatto, papà ha detto, papà è andato a cavallo nel parco di Villa Torlonia... Insomma, non mi sono mai sentito un figlio del Duce fino a quel mattino del novembre del 1936, nel porto di Napoli.

Come può un transatlantico aiutare un adolescente a capire? Il *Rex* ha un che di magico, direte. Può darsi, perché quando si è sul *Rex* le immagini ti travolgono. Un ragazzino che ha letto Salgari e un po' di Verne è come ubriacato. Il *Rex* ti esalta e il *Rex* si trasforma. Adesso che ne sono sceso, posso dirlo. Nella mia fantasia è diventato una creatura mitologica, di quelle che si vedono sui libri di scuola o s'incontrano sotto forma di statue in qualche museo romano. Una specie di Nettuno, ma non penso a quel Nettuno con il tridente e la barba, piuttosto a un Nettuno dallo spirito bizzarro. Un Nettuno indescrivibile, almeno con il mio vocabolario di bambino. Mi hanno raccontato che ogni nave è stregata. E così dev'essere per il *Rex* che va tra cielo e mare e deve assorbire l'influenza dell'uno e dell'altro. Cosa c'è nelle profondità del mare? Cosa si nasconde nel cielo? Sono stato sempre abbagliato da queste domande.

A scuola, in via Lante della Rovere, gli insegnanti fanno sforzi enormi per essere all'altezza della nostra fantasia. Un insegnante più in gamba degli altri ha detto che ogni specie ha la sua fotografia del mondo esteriore, la percepisce a modo suo. Dov'è la realtà? Gli esseri viventi non possono vedere la realtà come essa è realmente e di sicuro ci sono tante realtà quante sono le specie animali. Quindi anch'io ho la mia percezione di mio padre. Mi è venuto in mente che Giulio Verne disse che le macchine un giorno vedranno e parleranno. Papà s'è messo a ridere quando gliel'ho detto.

Ieri Napoli ci ha accolto con grande affetto, eppure la nostra non era una visita politica, la gente ci fermava mentre andavamo in carrozzella a visitare la città, ci faceva domande, io ero 'o guaglione, oppure 'o piccerillo. Pur essendo novembre c'era tanto sole. Andavamo senza scorta, anche quando siamo arrivati in cima al Vesuvio, a pochi passi dalla bocca piena di fuoco che sputava lapilli e tante altre cose. Mi sono tirato indietro spaventato. Anna Maria mi ha preso in giro dicendo che ero un bimbetto che se la faceva sotto... Poco c'è mancato che litigassimo di brutto, anche se io adoro mia sorella.

A cosa serve una scorta quando una signora che si chiama Rachele e i suoi due figli Romano e Anna Maria sono protetti dall'affetto del popolo? E chi ci poteva toccare? Dall'alto la mamma mi ha fatto vedere con il binocolo il *Rex*... Bah, mi sembrava una nave come tante altre...

Invece mi sono sentito così minuscolo, così inutile e insignificante quando sono arrivato sotto il transatlantico... Eravamo sulla banchina, la mia mamma, mia sorella Anna Maria e io. In un primo momento mi è sembrato che il transatlantico desiderasse un momento di pace, come quando le navi, lungo la banchina di un porto, stanno l'una accanto all'altra e si muovono appena emettendo suoni di compiacimento dalle loro strutture. Forse il *Rex* ha manifestato per qualche attimo la stanchezza d'essere il grande *Rex*. Anch'io, un giorno, ne avrò abbastanza d'essere indicato come un figlio del Duce.

Questo non lo dirò a papà...

Poi la nave, come se le fosse stato ordinato di fare il suo dovere, ha dato fiato alle sirene e ha innalzato verso l'aria piena di sole due pennacchi di fumo come se volesse far concorrenza al Vesuvio.

E siamo restati per qualche minuto con la testa all'insù, in silenzio, ad arrampicarci con lo sguardo lungo le fiancate della nave e ancora più in alto, oltre la tolda, oltre la plancia, fino alla punta degli alberi ai quali erano fissati tanti cavi con le bandierine sventolanti.

«Mamma mia», mi sono detto, oppure l'ho detto ad alta voce... Non rammento. Mamma stava zitta, Anna Maria si stringeva alla sua gonna. Non provavo spavento, direi che era stupore, lo sguardo che può spaziare sull'orizzonte non poteva contenere il *Rex*. E dai fianchi neri e in basso sporchi di alghe strappate al mare veniva un intenso odore di salmastro che doveva essere, ho immaginato, il suo respiro che sapeva di Oceano.

Siamo saliti a bordo accolti dal comandante, un tipo barbuto, dall'aria un po' scorbutica e impacciata, ma uomo premuroso. Dobbiamo fare, ha detto, una crociera nel golfo di Napoli: Capri, Ischia... Poi ha baciato la mano alla mamma che voleva ritrarla, non le piace quel gesto, in Romagna ridono se qualcuno lo fa a una signora.

Non ci siamo neanche avvicinati a quel signore ungherese dall'aria dura, un ammiraglio che era venuto in Italia a incontrare papà a Palazzo Venezia e che aveva un nome per me impronunciabile... Horthy Nagybanya.[2] Se non ci fosse stato papà a dettarmelo una lettera dopo l'altra, non avrei mai saputo scrivere quel nome. Pensa se te lo chiedono in classe... ha detto. È un grande amico dell'Italia e del fascismo.

Abbiamo girato per la nave, io correvo di qua e di là con Anna Maria, il *Rex* è lunghissimo, non finisce mai, e un ufficiale che ci veniva dietro faceva fatica a tenere il nostro ritmo. Eravamo usciti dal porto con un paio di idrovolanti che ci svolazzavano intorno e un caccia di scorta che ci fiancheggiava a qualche centinaio di metri. L'ufficiale ci ha accompagnati nella sala macchine. Era invasa da un fragore che mi ha impressionato più del Vesuvio. Poi abbiamo visto i marconisti al lavoro, picchiavano come matti sui tasti del telegrafo. E di tanto in tanto il *Rex*, come se volesse ricordarci che era sempre lui il vero padrone, sputava dalle due ciminiere fumate nere e ululati che ci facevano sobbalzare.

Mamma rideva ed era felice di provare una nuova esperienza. Era anche un po' intimorita, diciamo la verità. C'è poco da fare, noi Mussolini siamo restati campagnoli, ci sentiamo sentimentalmente impastati nella terra di Romagna.

A un certo punto il vento ha sollevato il cappellino di mia madre. Come se volesse portarselo via e farlo cadere in mare. Mi è parso uno scherzo voluto dal *Rex*. Abbiamo riso, ma lei, nonostante lo spillone, se l'è tenuto stretto per il bordo quando eravamo all'aperto, specie sul ponte più alto accanto alla plancia.

Proprio allora è accaduto l'episodio che mi ha fatto sentire un Mussolini, un vero Mussolini. Vittorio e Bruno sapevano già cosa volesse dire essere figli del Duce, anche se Bruno manifestava sempre un atteggiamento semplice e bonario.

Il comandante mi ha chiamato per nome, ehi, Romano, e mi ha detto di entrare in plancia. Aveva un accento del Nord, credo genovese. Abbiamo varcato tutti e tre la soglia un po' intimoriti. C'erano alcuni ufficiali e due o tre marinai. E c'erano tanti strumenti, molti dei quali mandavano riflessi dorati perché la plancia era invasa dal sole.

Siamo nel cervello del *Rex*, mi sono detto. Sotto di noi la nave procedeva a forte andatura. Vibrava. Ho visto salire schizzi di schiuma dalla prua. Un marinaio che ricordo muscoloso e molto serio in volto serrava tra le mani un timone di legno. Era lustro, tutto era lucente sul *Rex*, non c'era maniglia o passamano che non brillassero.

Scostatevi, per favore, ha detto il comandante al marinaio, lasciate il timone al figlio del Duce.

Ha detto proprio così: il figlio del Duce. Il comandante sorrideva, ma quando, incredulo, ho alzato lo sguardo, ho colto una luce di ossequio nello sguardo. Il figlio del Duce...

Era un'espressione, figlio del Duce, che non faceva parte del vocabolario dei miei giorni. A scuola io ero soltanto Romano e talvolta, durante interrogazioni o richiami, dicevano Mussolini, un cognome come tanti altri: Rossi, Ferrari, Bianchi... È difficile crederci, però è così. Mussolini, stai zitto, diceva l'insegnante quando parlavo a un compagno durante una lezione. Mussolini, ti vuoi alzare in piedi o no?, quando esitavo ad alzarmi. E il dito dell'insegnante, scorrendo il registro, non è che si femasse o esitasse sul mio nome. Il ritornello era uguale per tutti: Mussolini vieni alla lavagna, Rossi vieni alla lavagna ...Mussolini non hai studiato, Mussolini non hai capito proprio niente...

Adesso, eccomi diventato il figlio del Duce. È stato il *Rex* a rammentarmi il gran peso della paternità servendosi della voce del comandante.

Il marinaio, obbedendo, si è scostato e io sono salito su una specie di pedana. Un timone che era più alto di me. Ho sentito che le gambe diventavano molli, un rivolo di sudore freddo mi è sceso lungo la spina dorsale, ma mi sono fatto forza, dovevo farmi forza. Ero o no il figlio del Duce? Sulle mie mani è scesa la forte stretta del comandante. Mi ha detto: Romano, tieni questa impugnatura con la sinistra e quest'altra con la destra. Non avere paura, un Mussolini non deve mai avere paura. Io l'ho guardato come se volessi dirgli: non sarai mica matto, io sono un ragazzino come tanti. Non avere paura, Romano... ma tu vuoi scherzare, comandante.

Ma non ho aperto bocca.

E il comandante ha detto con tono teatrale: Romano Mussolini, il *Rex* è tuo!

Doveva proprio essere un fascista, dalla testa ai piedi.

Non mi sono girato, ma ho immaginato che anche Anna Maria fosse impressionata. Mia madre, invece, doveva essere preoccupata. Sta a vedere che mi combina un guaio... Il suo bambino al timone del *Rex*. Romano al timone del transatlantico più famoso d'Italia. Un marinaio, che doveva essere il fotografo di bordo, ha scattato una fotografia con una Rolleiflex tedesca. E tutti, in plancia, mi guardavano.

Il *Rex* era mio. Ho pensato che spostando quella ruota avrei potuto cambiare rotta. Ma ce l'avrei fatta? Mi sono detto che era impossibile. Le mani del comandante si erano staccate per qualche attimo, ma dovevano essere pronte a rinsaldarsi sulle mie.

Mio padre s'era innamorato del *Rex* dopo il Nastro Azzurro. Voleva che ci salissero tutti i capi di stato in visita da noi. Ma papà non ne aveva mai stretto il timone. Io, sì. Si sa che la fantasia, anche in pochi istanti, fa scorrere le immagini a una velocità incredibile. Il cinema fa ridere al confronto. E la mia fantasia ormai andava a briglia sciolta, molto di più di quei cowboy nei film che vedevamo a Villa Torlonia e che piacevano a papà.

Sentivo... credevo di sentire che, come altre e maestose bestie, il transatlantico si sottoponeva all'idea di essere pilotato da un ragazzino di dieci anni, anche se era figlio del Duce, del quale, ho pensato più tardi, ma molto più tardi, la misteriosa entità marina d'una nave doveva infischiarsi.

Il fascismo aveva dato vita a una creatura d'acciaio che

ormai possedeva un'esistenza propria. La mia immaginazione, senza che neanche me ne rendessi conto, mi trascinava. Cavalcavo un delfino.

Sì, da un minuto o poco più stavo pilotando il *Rex*! Io ne ero convinto. Il comandante mi ha lasciato fare e il *Rex* non si è ribellato. Sono stati attimi immensi, sì proprio immensi e tanto lunghi, almeno per le mie sensazioni di bambino. Non potrò mai dimenticare lo splendore della baia di Napoli, distinguevo il fantasma azzurro di Capri, vedevo Ischia, vedevo altre navi, vedevo il mare scintillante.

Ho tenuto lo sguardo puntato davanti a me, come mi aveva ordinato il comandante. Poi, tornando a premere le sue mani sulle mie, mi ha fatto muovere il timone. Di poco, di pochissimo. E ha impartito ad alta voce alcuni ordini che due ufficiali hanno ripetuto, come per esserne certi. Ho afferrato solo qualche parola: tanti gradi a sinistra...

La plancia si affacciava sulla sterminata prua e ho visto, al di là delle vetrate, che l'isola d'Ischia si spostava verso destra e Capri, a sinistra, veniva verso di me... Era tanta l'emozione che non ho capito che era la prua del *Rex* che si muoveva. Il comandante s'è messo a ridere quando più tardi gliel'ho detto. Aveva una faccia severa e quella risata lo ha trasformato.

Il *Rex* ha docilmente obbedito al figlio del Duce, il bestione si muoveva delicatamente come una ballerina del *Lago dei Cigni* e sotto, nella profondità del suo corpo, pulsavano i suoi ingranaggi che portavano potenza alle eliche. E bastavano le mani di un bambino a fargli cambiare rotta. Le mani del figlio del Duce.

Prima di scendere, il comandante mi ha dato una bandierina con il Nastro Azzurro.

Racconto tutto a papà che mi sta a sentire senza interrompermi. Bruno e Vittorio mi prendono in giro: ehi, Romano, non ti montare la testa. Papà mi guarda sorridendo: è bello il nostro *Rex*, dice. Ha fatto morire di rabbia le compagnie di navigazione tedesche e quel simpaticone di Hitler... Ma non sono più i tempi di pensare al Nastro Azzurro, figli miei. C'era tutto il nostro futuro in quelle parole e non lo sapevamo.

Papà ha aggiunto: sono fiero di quella nave come devono esserne fieri tutti gli italiani, eppoi oggi chi non è orgoglioso di essere italiano? Si pone la domanda convinto che la risposta non possa essere che affermativa.

E naturalmente racconto tutto a scuola, ma non mi vanto, anche se sento che l'orgoglio vorrebbe straripare. Non voglio dire nulla delle mie sensazioni: un figlio del Duce che ha pilotato il *Rex* non può magari impappinarsi come mi è capitato altre volte.

Dico di avere sentito sul transatlantico l'importanza di essere italiano. E tutta la classe è d'accordo. L'insegnante, che non ha una passione per me, approva. Non c'è stato niente di lirico, s'è vissuto un giorno di scuola come un altro alle elementari di via Lante della Rovere.

Solo un mio compagno mi dice sotto voce: beato te che sei andato sul *Rex*, magari ci potessi andare a vivere con la mia famiglia. Andare a vivere sul *Rex*? Ma capisco subito: il mio compagno è figlio di uno sfrattato... si chiama Scaricci. E s'è messo a piangere: sai, tu vai sul *Rex* e io vivo in una baracca che puzza e cade a pezzi. Tornato a casa, dico tutto arrabbiato alla mamma: guarda che il mio compagno di banco lo hanno buttato fuori di casa… vive in una baracca con i topi.

È stata la fortuna di Scaricci perché mia madre è andata a trovare i suoi genitori e ha trovato una casa dignitosa per loro e anche per altri. È questo il potere del nome Mussolini? Oh, molto, molto di più… Mia madre ripeteva ogni tanto: figli miei, adesso siamo in alto, ma potremmo precipitare.

È vero che il *Rex* ha come spalancato una porta sulla mia identità. Il figlio del Duce, Romano Mussolini, al timone della più bella nave del mondo. Non è che mi sono messo a cantare *Giovinezza* dalla mattina alla sera, non c'è stato nulla di sconvolgente, non sono stato preso dalla presunzione, ma oggi mi sento per la prima volta uno dei figli del Duce. Me lo sento nelle viscere. Non sono figlio di Benito, come la mamma chiama papà, ma figlio del Duce. È la verità, no? La verità …anche se non ne approfitto, nessuno di noi, figli del Duce, ne approfitta. Certo, la gente può dire il contrario, ma chi lo sa meglio di me? Si può essere un Mussolini e restare adolescenti, crescere, con difetti e pregi, come tanti coetanei di questo Paese.

In realtà non sono ancora veramente cosciente dell'importanza o della disgrazia di chiamarsi Mussolini. Forse Edda, Vittorio e Bruno, che sono più grandi, debbono sentirne il peso. Bisogna che lo chieda a Vittorio, lui è il figlio intellettuale, sa criticare, mentre Bruno, qualsiasi cosa dica mio padre, si allinea, non disapprova, è come un militare, le parole di papà sono vangelo. È tutto d'un pezzo, Bruno. Vittorio, invece, è indipendente, si costruisce la propria opinione e se c'è da condannare, condanna, come nel caso delle persecuzioni razziali tedesche e della possibilità che ne vengano fatte anche da noi. Ha un sacco di amici ebrei,

Vittorio. E se papà tempesta, Vittorio tempesta più forte di lui. E con l'andare del tempo ce ne sono, di scenate, in famiglia.

Siamo nella stessa barca, ma siamo critici. Ti puoi esprimere liberamente, però sei e resti rigorosamente fascista. Quando accetti un credo, devi anche accettare certe situazioni che appaiono assurde. Il credo s'impone sempre... Sennò, è la fine.

Il *Rex* dev'essere salpato per chissà quale altro viaggio e io sarò stato pure al suo timone, ma nulla è cambiato nella mia vita di tutti i giorni. Sarò il figlio del Duce (ricorda, Romano, la D maiuscola), ma a scuola continuo a essere punito, anche perché sono un pessimo studente, mi arrangio, vado avanti a orecchio come nella musica, so tutto a memoria, però se esco dal seminato, sono guai. E con la matematica, che non si può imparare a memoria, mi bollano con voti spaventosi. Mussolini va al tuo posto e stasera scrivi cento volte la radice quadrata di...

Oggi, a tavola, davanti a papà che ha la fissazione della matematica, Bruno mi fa: dimmi un po', Pitagora, come va in matematica? Mi chiama Pitagora per sfottermi. Papà alza lo sguardo dalla pastasciutta.

Non so cosa mi prenda e rispondo stupidamente: mi sembra che la professoressa ce l'abbia con me. E impasticcio tutto dando una colorazione politica alla cosa.

Bruno si alza di scatto e mi dà una botta sulla testa: il fatto è, Pitagora mio, che tu non studi, invece di fare il gradasso con il *Rex*, chinati sui libri. Io non faccio il gradasso con il *Rex*! E Vittorio mi tira un altro scappellotto.

Gente semplice, i Mussolini, nel bene e nel male.

Ci sono giornalisti e storici che seguono il personaggio

che, per noi, è semplicemente papà. Viviamo in modo normale, direi, comune, come vive al suo ritmo naturale una famiglia. Ne siamo convinti. Ogni ragazza, ne sono certo, deve guardare in un certo modo Vittorio perché si chiama Mussolini e lo stesso deve accadere per Bruno. E allora? Capita a tutti i figli di uomini famosi.

E c'è Edda, la grande Edda... Una sua occhiata incenerisce persino papà. Viviamo momenti affascinanti, eccitanti, come la mia avventura sul *Rex*, ci sono le sfilate di soldati, le visite ufficiali di capi di Stato... Io preferisco papà a casa, senza la giacca di quella sua triste divisa da caporale della milizia, preferisco papà in pullover, papà che parla, che racconta aneddoti, papà che ride, che prende in giro qualche gerarca, papà che mi abbraccia, papà che si arrabbia... Non parliamo mai di vera politica in casa, semmai di cinema, di calcio e di mille altre cose, anche di storia antica, dei personaggi dell'antichità, mio padre ci tiene a parlarne perché conosce un'infinità di episodi.

Papà...

Papà è un altro mondo e sta su un altro pianeta come uomo.

La crociera sul *Rex* mi ha convinto di vivere certezze. E tra le certezze c'è quella di sentirmi italiano più che fascista, anche se il fascismo significa italianità. Io conosco l'apparato fascista dell'adolescente, la divisa, i calzettoni, il fez, sento il nazionalismo che è patriottico e naturale come l'aria che respiro, sebbene, come mio fratello Vittorio, sia un po' anticonformista. Scherziamo anche sul partito. Dio mio, come mi annoiano le adunate. Mi scoccia mettermi in divisa, ma la divisa ti dà un senso di responsabilità, come dev'essere la tonaca per un prete.

Gli altri italiani debbono vivere la stessa sensazione. C'è un'etica, bisogna dare un esempio, il nostro rispetto per genitori e professori dev'essere assoluto. Bruno ne è certo, dice che l'Italia è forte, che abbiamo una grande flotta civile e militare, una grande Aviazione. E il *Rex* ne è uno dei simboli più vistosi. Il *Rex*, il *Conte di Savoia*... mi cita tutti i transatlantici.

E Vittorio mi dice che in altri Paesi è diverso, c'è la democrazia...

Io sono sicuro che il popolo italiano è innamorato di mio padre e che mio padre ricambia, adora questa nazione pur sventolando tutti i suoi difetti. Più passa il tempo e più sento il dovere di fare il mio dovere, io e i miei fratelli andiamo in giro senza scorta e tutti ci vogliono bene, papà semina le scorte ed è felice quando corre con la sua Alfa verso Ostia.

Vittorio ammira l'America. Dice che un giorno s'imbarcherà sul *Rex* per andarci. Papà lo ascolta in silenzio. Da un po' di tempo i suoi silenzi sono sempre più lunghi. E io che, grazie a Vittorio e a Edda, ho cominciato a sentire il jazz nella pancia di mia madre, lo stuzzico: piace anche a te, il jazz, papà?

Vittorio colleziona i dischi e io vado da Alati, vicino a via Nazionale, a comprare quelli americani ristampati in Italia. Quando avevo quattro o cinque anni mio fratello mi aveva regalato alcuni settantotto giri di Duke Ellington. Già conoscevo i grandi solisti e mi dispiaceva che la gente non capisse il jazz.

In Europa dicono che è musica da bordelli, musica di negri... e io con il grammofono a manovella regalato da Edda ascolto, ascolto... Il jazz mi commuove e anche oggi, nell'anno XIV dell'Era Fascista, echeggia a tutto volume a Villa Torlonia.

Papà non dice niente, mio padre non dice mai smettila di ascoltare quei dischi, sa che li ascolto e riascolto invece di studiare. Sento i blues e lui zitto, sento Count Basie e lui zitto. Magari mi guarda incuriosito quando si affaccia alla mia camera e mi vede sdraiato per terra accanto al grammofono.

Pensa anche alla matematica, Romano, mi raccomando.

Lui, si sa, ama la musica lirica. Ieri l'ho sorpreso mentre seguiva *Echoes of Harlem* di Duke Ellington. Le sue mani battevano il ritmo sul tavolo e i suoi occhi erano persi nel vuoto.

I ricordi di Romano Mussolini vanno oltre il periodo della crociera sul *Rex*. Non me la sono sentita di eliminarli e li trascrivo in corsivo. Offrono sempre un'immagine di quello scorcio degli Anni Trenta. Ci sono alcuni flash dei primi Anni Quaranta. Sono la fatale e meritata conclusione del decennio che li ha preceduti.

Narra Romano Mussolini:

… a Rocca delle Caminate, molto più tardi, quando avevo sedici, diciassette anni, lo vedevo molto di più… lui diceva che ero il bastone della sua vecchiaia, facevamo un'oretta di tennis insieme e ascoltavamo jazz. Aveva sessant'anni, ma aveva lo stesso impegno, aveva lo stesso cervello, anche se era angosciato da Hitler. Dicevano che il suo fisico era logorato… Macché, logorato… fisicamente stava molto bene, era stato curato da un medico tedesco e

191

non aveva più quei dolori lancinanti che ricorrevano durante la prima parte della guerra e che, secondo me, avevano avuto un peso sulle sue decisioni. Chi sta male non può ragionare come vorrebbe... perché lui, talvolta, era veramente dilaniato da dolori terribili, un po' come fossero pugnalate. Diceva: ho un tumore. Invece no, era un'alimentazione sbagliata, una gastrite... Era magro, ma il suo cervello era più fresco del mio. Non parliamone, non voglio fare paragoni.

... io ho cominciato a suonare nel 1943, sono un autodidatta, non conosco la musica, suono tutto a orecchio. Papà era stupito che io potessi suonare senza conoscere la musica... Vittorio era addirittura esterrefatto... Si vede che m'era rimasto tutto dentro, un fiume di musica jazz attraverso i dischi, le orchestre, come quella di Gorni Kramer... Ricordo che Vittorio, nel 1938, quando già avevo quasi dodici anni, mi portò una caterva di dischi che aveva comprato in America. Mi raccontò che voleva visitare i locali di Harlem, ma le autorità americane non vollero che andasse ad ascoltare il jazz, è roba da negri, dicevano.

Uscivo assieme ad Anna Maria e ci divertivamo da matti con la canzone «E Pippo Pippo non lo sa, che quando passa ride tutta la città... si crede bello, come un Apollo...» Kramer era avanti di trent'anni, perché c'era allora la smania della musica melodica, del cantante che gorgheggia...

Il miracolo accadde proprio nel terribile 1943... Ci tengo a chiamarlo miracolo perché, in un certo senso, mi ha salvato la vita.`

Mi venne a trovare alla Rocca delle Caminate un amico, un altro mio compagno di banco. Avevamo a casa dei *pianoforti Anelli, pianoforti italiani, e lui si mise a suonare due o tre cose. Io gli chiesi: ma come hai fatto? Mi spiegò: devi mettere le dita in questo modo... mi do sol, questo è un accordo, poi prosegui... E io improvvisamente cominciai a suonare, tutto esplose, il mio bagaglio musicale, tutto ciò che avevo ascoltato passò attraverso le mie dita sulla tastiera. Mio cugino, per dirne una, leggeva gli spartiti, ma non sapeva suonare il pianoforte, voglio dire che lo suonava, ma lo faceva meccanicamente, senza estro. Un automa.*

Durante la Repubblica Sociale suonavo dalla mattina alla sera, suonavo anche la fisarmonica. A Villa Feltrinelli, sul lago di Garda, c'era un pianoforte molto buono... Erano giorni oscuri, gli occhi di mio padre erano di un nero insondabile.

Ecco, se c'è qualcuno che m'insegnò qualcosa fu un soldato tedesco, lui sapeva suonare tutti i pezzi americani ... Suonavamo a quattro mani.

Papà stava a sentire. Poi andavamo in bicicletta, lungo il lago, in silenzio...

Note

1. Gli incontri con Romano Mussolini, pianista di fama internazionale, sono avvenuti il 22 agosto e il 10 ottobre 2002. Benito Mussolini ha avuto cinque figli con sua moglie, Rachele: Edda, Vittorio, Bruno, Romano e Anna Maria. Donna forte e sensibile, Edda è stata protagonista della tragedia in cui è stato trascinato suo marito, Galeazzo Ciano, fucilato nel 1944 dai fascisti per aver votato contro il suocero al Gran Consiglio del 25 luglio 1943. Ne è riemersa faticosamente ed è morta qualche anno fa come suo fratello Vit-

torio, che era definito l'intellettuale dei figli di Benito Mussolini per i suoi interessi cinematografici. Bruno era un pilota, ha combattuto in Africa e in Spagna ed è morto nel 1941 a ventitré anni in un incidente di volo. Molto amata dalla famiglia, Anna Maria è stata colpita dalla poliomielite, ha avuto un ruolo di sfondo ed è morta nel 1968 a trentanove anni. Tutti hanno appreso dell'assassinio del padre da un notiziario della radio.

2. Si tratta dell'ammiraglio Miklos o Nicolas Horthy von Nagybanya, reggente della corona d'Ungheria (1868-1957). Fu molto vicino all'Italia fascista ed esercitò le funzioni di capo di Stato fino al 1948.

12

Quanto alla qualità di medium, essa può venire riconosciuta, con certe riserve, a Hitler, in quanto egli sotto più di un riguardo ci si presenta come un invasato. Proprio quando fanatizzava le folle, dava l'impressione che un'altra forza lo trasportasse, appunto come un medium, anche se di un genere tutto particolare ed eccezionalmente dotato. Chi ha udito parlare Hitler a folle deliranti non può non aver avuto questa impressione.

JULIUS EVOLA, filosofo

I

HITLER scalciò rabbiosamente con lo stivale destro sul ponte del *Rex*. Alcuni cineoperatori, quel mattino del 5 maggio 1938, filmarono la scena. Si vide anche che re Vittorio Emanuele e Mussolini lanciavano un'occhiata sorpresa all'ospite che avevano accolto alle 10.30 nella stazione di Mergellina tutta imbandierata di svastiche e tricolori.

Che diavolo gli prende? si chiese allarmato Mussolini. Avrebbe capito il senso di quel colpo di tacco solo se avesse ascoltato le rapide e masticate parole che il cancelliere tedesco aveva rivolto al suo ministro degli Esteri, Ribbentrop.

«*Ist diese das Schiff, das unseres* Bremen *besiegt hat?*» È questa la nave che ha battuto il nostro *Bremen*?

«*Ja, mein Führer.*»

Se Hitler imprecò e lanciò una maledizione contro il

195

Rex, come sostiene un diplomatico presente alla scena, il primo risultato si ebbe quando il transatlantico, durante la manovra del comandante Attilio Frugone, che aveva sostituito Tarabotto nel 1937, andò a sbattere contro il molo Luigi Razza. Furono brutti momenti. Tutto doveva filare liscio, guai a guastare la scenografia prevista per la visita di Hitler a Napoli.

La parata navale tra Ischia e Capri fu bellicosa, aggressiva e imponente, e il *Rex*, per la prima volta, si trovò immischiato in cose militari. Non si addiceva alla raffinatezza e al grande spirito oceanico del transatlantico. Per fare effetto su Hitler emersero uno dopo l'altro, in pochi istanti, decine e decine di scuri sottomarini, e dalle isole partirono fuochi d'artificio in pieno giorno che parevano scoppi di mitraglia. Le sagome grigie di corazzate, incrociatori e cacciatorpediniere, con i loro cannoni brandeggianti, facevano pensare a un'invasione. I cacciatorpediniere andavano velocissimi piegati a pelo d'acqua, e dal cielo scendevano aerei in picchiata. I 400 invitati dal podestà di Napoli, tra cui molti esponenti dell'aristocrazia selezionati dalla segreteria di Mussolini, applaudivano o stavano a bocca aperta in segno di ammirazione. La guerra annunciata era per ora solo una festa. Furono in pochi a valutare realisticamente ciò che si svolgeva sotto i loro occhi.

Solo qualche settimana prima, dal 29 gennaio al 23 febbraio 1938, la nave era passata sotto i cieli illuminati dai fuochi d'artificio nelle calde notti di crociera tra Trinidad, Rio de Janeiro e le Barbados. I fuochi erano come fiori che sbocciavano in mille fantasie e si spegnevano lasciando ca-

196

dere una polvere di scintille. C'era stata anche la luna piena, e la luna, dopo gli effetti luminosi, dava un senso di pace e argentava la scia del *Rex* durante la navigazione.

Erano salite a bordo le più belle ballerine brasiliane, vestite solo di piume verdi e gialle; i ballerini erano ragazzi giovanissimi a torso nudo e portavano magliette colorate e pantaloni attillati. S'era ballato il samba fino a cadere a terra estenuati. Le cabine, i saloni e le passeggiate erano percorsi da scariche di sensualità. Ogni mattina, all'alba, il personale raccoglieva parti di abiti da sera, di smoking e altri indumenti abbandonati dai loro proprietari nella fretta di spogliarsi. Era stato organizzato un servizio molto discreto per restituire le toilette acquistate dai grandi sarti.

Ogni minuto era troppo prezioso e doveva essere inzuppato nello champagne. Il *Rex* era un castello incantato da favola, una fantasmagoria di luci, suoni e risate, come le strade di Rio de Janeiro dove impazzava il carnevale. Nelle sue piscine accadeva di tutto, e talora le luci si spegnevano in segno di complicità.

Mai il transatlantico era stato tanto condiscendente e protettivo con i suoi passeggeri. Quando aveva calato le ancore nella baia di Rio, tutt'intorno, come per dirgli addio, s'erano radunate tante barche cariche di gente festante e mascherata. Alcune donne a seno scoperto erano riuscite a salire a bordo. Non si poteva tenere a bada tanta gioia di vivere. Il comandante Attilio Frugone disse che il *Rex*, in quella crociera, contribuiva allo sviluppo demografico voluto da Mussolini. Tutti risero, alla sua tavola, anche don Cassani, che doveva sbarcare dopo qualche mese. Il cappellano, facendosi serio, benedì la pace e i presenti in latino. Nella festosa gazzarra solo i pochi commensali al tavolo di Frugone divennero seri perché capirono che il sacerdote benediceva la pace con tutta la forza della preghiera e della sua anima.

Il *Rex* si staccava sempre di più dalla realtà che lo circondava. C'era un che di fatalistico nel suo vagare nell'Oceano. Alla Marina mercantile ci si domandava quale dovesse essere il suo ruolo in caso di guerra. Mussolini non voleva che il vincitore del Nastro Azzurro fosse affondato. All'inizio, come raccontò ancora una volta ai suoi figli, il transatlantico non gli era stato simpatico, ma adesso gli sembrava che appartenesse già ai bei tempi, al passato, e che si fosse prematuramente trasformato in un ricordo prezioso o, perlomeno, fosse entrato in una dimensione che in quei giorni gli sfuggiva.

II

Nel suo andare e venire, il *Rex* non poteva sfuggire, passando lungo le estreme coste spagnole, a bagliori di cannonate e bombardamenti. Pareva che le fiammate volessero raggiungerlo e coinvolgerlo. Capitava al calar della notte, e i passeggeri e l'equipaggio che guardavano dalle murate ammutolivano. Poi, correndo a 27 nodi, la nave avvistava le pacifiche luci di Gibilterra e, dopo tre o quattro giorni di navigazione, le luci infinitamente più vistose di New York. Allora più nessuno, a bordo, pensava alla guerra civile spagnola che, in quel periodo del 1938, era una bestia furiosa che si autodivorava. Alcuni ne erano attratti. Uno dei figli di Mussolini, Bruno, vi aveva partecipato come pilota e, dopo aver lanciato una sfida nello stile dei cavalieri antichi, aveva duellato con il suo aereo contro un aviatore americano arruolato tra i rossi. I giornali americani avevano cantato le sue gesta. Erano squarci romantici in una realtà che si era deformata in modo orribile. Persino una guerra può imbruttirsi. Nessuno poteva prevedere che i repubblicani del Frente Popular sarebbero stati divisi dall'odio e si sarebbero uccisi fra loro. I comunisti volevano imporre il loro ordine, annientare i socialisti rivoluzionari e gli anarchici che si battevano contro lo stesso nemico. Stalin strangolava ogni forma di sinistra che non fosse la sua.

A trarne vantaggio erano i nazionalisti del generale Franco. E naturalmente Mussolini e Hitler che li sostenevano. In Spagna si stava spegnendo l'ultimo sogno della sinistra mondiale. Nel 1937, solo un anno prima, il socialista francese Léon Blum diceva che nella terra di Cervantes si andava a morire per il destino della libertà.

Non c'era alcun segnale che accendesse fiducia nel futuro. Tranne l'entusiasmo di quei giovani europei e americani che si arruolavano nelle Brigate Internazionali per combattere i soldati di Franco e le truppe fasciste. Parevano richiamati da un miraggio. Ma i miraggi si accendono, si dileguano, tornano ad accendersi e tornano a scomparire. Come si poteva contare su un futuro di miraggi? Forse non restava altro. Proprio in quei giorni, nei discorsi alle masse naziste, Hitler minacciava la Cecoslovacchia reclamando l'autonomia dei tedeschi di Boemia. Tutto era in bilico tra l'orrore e la salvazione. E il *Rex* continuava a navigare.

III

Il 12 maggio 1938, alle 12.25 del mattino, tre aerei B-17, detti «fortezze volanti», sbucarono da nere nuvole basse e puntarono sul transatlantico. Facevano un rumore infernale, con i loro motori, quattro per ogni velivolo. Nella plancia del *Rex*, che procedeva a 25,60 nodi, il comandante Frugone ordinò una virata a sinistra che fu eseguita in 38 secondi. Erano troppi, se quei tre aerei color argento avevano cattive intenzioni.

Poi Frugone uscì sull'aletta di plancia e puntò il binocolo. «Sono americani!» Rientrando, ordinò che il marconista di turno si mettesse in contatto con Roma per chiedere se fosse accaduto qualcosa. Una dichiarazione di guerra? Un'invasione? Una rappresaglia? La terraferma balenava di baionette innestate.

Le fortezze volanti passarono tre volte sul *Rex*, come se intendessero prendere la mira. Sempre a quota più bassa, quasi a sfiorarne gli alberi di prora e di poppa. Frugone riuscì a scorgere con le sue lenti Zeiss uno degli ufficiali navigatori nella parte vetrata del muso. Gli parve che facesse dei segni con le mani. Anni dopo si sarebbe saputo che si chiamava Clifford Harcourt Rees.[1]

I passeggeri si ammassarono nelle passeggiate e sui ponti lanciando urla e imprecazioni. Ci attaccano!

La posizione era a 725 miglia a Est dalle coste degli Stati Uniti. New York doveva essere raggiunta l'indomani.

Dopo la virata a sinistra, il *Rex* aumentò l'andatura fino a 30 nodi. La sua prua tagliava in due le onde. Per un minuto o poco più, il comandante Frugone fu convinto che i quadrimotori erano stati risucchiati dalle nuvole che si addensavano nel cielo, fino all'orizzonte.

«Forse ci hanno persi!» esclamò.

E subito dopo: «Che cosa diavolo dice Roma?»

Il terzo ufficiale, Salvatore Schiano, che veniva tutto trafelato dalla stazione radio, riferì che Roma era totalmente all'oscuro dell'accaduto. Il comando della Marina militare aveva trasmesso che il *Rex* se li doveva essere sognati, gli aerei americani. A Roma attendevano ulteriori informazioni. «Dicono così, comandante. Non una parola di più.»

«Bastardi», disse Frugone in dialetto ligure, perché era nato a Cavi di Lavagna. «Ce li siamo sognati! Che Dio ci protegga se Roma dovesse un giorno trascinarci in una guerra. Schiano, andate a cercare una macchina fotografica e, se si ripresentano quegli uccellacci, scattate una foto. Avremo una prova del nostro sogno», ordinò.

I quadrimotori rispuntarono, tutti e tre affiancati. E stavolta a sinistra del *Rex*, che aveva appena toccato i 31 nodi emettendo segnali acustici con le sirene. Uno dei B-17, dopo essersi staccato dalla formazione, sfiorò il fumaiolo di poppa, abbassandosi di qualche metro verso la piscina della classe speciale situata a poppa. Alcuni passeggeri si tuffarono spaventati in acqua, tutti vestiti. Tirava un brutto vento freddo, sull'Atlantico.

«A dritta!» urlò Frugone. «Basta con questa pagliacciata.»

E il *Rex* riprese la sua rotta verso gli Stati Uniti.

Rivolto a un altro ufficiale di stato maggiore di nome Luigi Oneto, il comandante osservò: «Non so cosa vogliano dimostrare, ma di sicuro, se avessero voluto bombardarci, lo avrebbero già fatto».

Le tre fortezze volanti si alzarono verso la nuvolaglia e non si fecero più vedere.

A Roma, più tardi, Mussolini era già stato informato. Non poteva credere che Frugone si fosse sognato gli aerei, come ironizzavano gli ammiragli del ministero. «Chiamatemi l'ambasciatore Fulvio Suvich a Washington.» E dopo poco il diplomatico era al telefono. «Mi volete spiegare questa storia? Tre bombardieri americani hanno sorvolato con intento bellicoso la più importante nave della nostra flotta mercantile, il *Rex*, una nave gloriosa, come voi dovreste sapere...»

«Chi non ne è a conoscenza, Duce?» disse Suvich, che cominciò a preoccuparsi. Che cosa succedeva nella testa degli americani, sempre così entusiasti delle imprese mussoliniane? Mandare i bombardieri contro il *Rex*?

«È un episodio inaudito», proseguì il Duce. «Dovete protestare con il presidente degli Stati Uniti, e se voi non ve la sentite, lo farò io stesso. Non si terrorizzano così i passeggeri di una pacifica nave italiana!»

«Provvederò immediatamente, Duce.»

«Voglio sapere ciò che è accaduto e perché è accaduto. L'Italia pretende delle scuse da parte dell'Aviazione americana e di quegli sciagurati aviatori. È chiaro?»

«Sì, Duce.»

E Mussolini riagganciò.

L'ambasciatore Suvich fece il suo dovere. Gli fu spiegato, per quanto sommariamente, che si trattava di un'esercitazione eseguita da un gruppo di velivoli. I piloti avevano peccato di esuberanza. Il governo americano si scusava con

Roma e con Sua Eccellenza Mussolini. Era necessaria una telefonata del presidente degli Stati Uniti?

No, così bastava, comunicò Roma.

I piloti americani del Quarantanovesimo squadrone da bombardamento, che si erano alzati dal campo di Langley Field, in Virginia, ospitando a bordo i giornalisti dell'NBC, collaudavano un nuovo metodo d'intercettazione basato su radiomessaggi. Un metodo che sarebbe stato prezioso per i bombardieri B-17 in caso di conflitto. E se le fortezze volanti avessero sganciato le loro bombe, il transatlantico, nonostante le manovre diversive del comandante Frugone, sarebbe stato rapidamente affondato con tutti i suoi duemila passeggeri. Il *Rex* fu scelto come cavia. Per il resto del viaggio tacquero persino le orchestre. I passeggeri rivolgevano occhiate preoccupate verso il cielo.

Nota

1. Il generale Curtis E. LeMay, che fu comandante dell'aeronautica militare statunitense dal 1961 al 1965, raccontò la missione nelle pagine del *National Geographic* del settembre del 1965 e nel suo libro autobiografico *Mission with LeMay*. L'entrata in servizio dei bombardieri a lungo raggio B-17, che ebbero un ruolo prezioso nella vittoria alleata, aveva posto il problema dell'inadeguatezza dei sistemi di navigazione installati sugli aerei, a causa dei quali si volava praticamente a vista. Si trattava di mettere a punto un sistema di navigazione automatizzato. LeMay era navigatore capo e aveva alle sue dipendenze Clifford H. Rees, anche lui futuro generale dell'aviazione militare americana.

13

Quando passa Nuvolari... Tazio il vento, Tazio il razzo per la luna, Tazio la bandiera di un'Italia che sogna di vincere. Ma anche l'uomo del consenso illuminato, il trascinatore di folle, l'eroe senza macchia e senza paura...

LUCIO DALLA, *Nuvolari*

I

ACCADEVA che le ultime parole di Giorgio gli attraversassero all'improvviso la mente: «Fermami, papà, fermami!» come se Giorgio stesse andando a velocità vertiginosa verso il nulla. Gli parve di udirle anche quella sera dell'estate del 1938, in mezzo al mare, nel viaggio di ritorno verso l'Italia.

Quante volte aveva raccontato al figlio che a 250 o a 300 all'ora la strada si stringe e s'infila nell'orizzonte come un ago?

Tazio Nuvolari, il pilota italiano più noto, il pilota che persino gli inglesi – chiamandolo «il gran piccoletto» – adoravano, l'uomo tutto nervi e muscoli, il più grande pilota del mondo sopravvissuto a incendi e schianti, pianse aggrappandosi al corrimano del *Rex*.

Si sentiva un povero straccio, e solo l'Oceano fu testimone del suo dolore. Solo l'Oceano... Com'era avvenuto il 27 giugno 1937 sul transatlantico *Normandie* in navigazione verso New York. Fu lo zio Giuseppe, fratello del padre, a telefonargli – era una voce lontana, sbiadita, che andava e veniva – gli aveva dato la notizia del decesso di Giorgio. Diciott'anni, quasi diciannove. Un ragazzo, un povero ragazzo malato che amava le auto da corsa. Era corso fuori, sul ponte di prima classe del *Normandie*, e aveva pianto. Era tornato in cabina solo all'alba. E piangeva ancora.

Era passato più di un anno e la perdita del figlio maggiore gli faceva ancora male come se un pugnale gli fosse rimasto infilato nella schiena. I ponti del *Rex* erano deserti, a quell'ora. Sentiva il vibrare delle turbine e dal ponte A della classe speciale intravedeva la lunga scia, come se fossero i giorni che se n'erano andati, i giorni che aveva perso lontano da casa, lontano da Giorgio.

Ogni nave, specie a notte fonda, dà conforto a chi soffre e l'accoglie nel suo gran cuore. Sembra proteggere chi si trova di fronte alla nudità della propria anima.

II

«Fermami, papà, fermami», aveva supplicato Giorgio.

Era stata la moglie Carolina a riferirgli le estreme parole del figlio. E ora, durante questo viaggio negli Stati Uniti, e persino il 31 maggio 1938 a Indianapolis, dove era andato a dare il via alla corsa, le aveva chiesto se fosse vero. «Ha detto proprio così?» E lei ancora una volta aveva risposto di sì con uno sguardo che sembrava una supplica: «Non me lo chiedere più, Tazio».

Giorgio, il suo bel ragazzo, molto più alto di lui (certo, ci voleva poco!), un volto pulito e un sorriso semplice, doveva essere sfigurato da quello che la morte ha di più spietato e atroce. Come se volesse punirsi, Tazio immaginava lo sfacelo di un corpo del quale era stato tanto fiero, carne della sua carne. Era il primogenito che non aveva visto crescere perché non era mai in famiglia, le corse lo trascinavano via, ma che aveva immaginato nei momenti magici del gioco nella casa di Mantova, quando Carolina lo faceva mangiare e quando, più tardi, lo accompagnava a scuola.

Quante volte aveva visto Giorgio? E quante volte Alberto, il secondogenito, il piccolino nato dopo anni di attesa? Non dovevano poi essere state molte le occasioni in cui aveva avuto momenti d'intimità con i suoi figli, come succede a un padre comune che ha un lavoro nella stessa città dove vive la famiglia e che la sera torna a casa prima che i bambini vadano a letto.

L'Oceano, tutto l'Atlantico lo aveva separato dal figlio morente, da quell'istante finale che porta all'eternità, da quel figlio agonizzante che negli ultimi anni voleva seguirlo dappertutto e che s'intendeva di motori, che conosceva i suoi amici piloti, che aveva stretto la mano, guardandolo fisso negli occhi, a un tipo come Hitler. Giorgio non abbassava mai lo sguardo. Aveva imparato a guidare a dodici anni.

Non voleva partire per correre la coppa Vanderbilt con la sua Alfa rossa. Aveva già vinto nel 1936, e tutta la squadra, ricordò, s'era imbarcata sul *Rex*. Gli aveva portato fortuna, il *Rex*. Non voleva partire perché sentiva che la morte era in attesa nel giardino della villa di Mantova. Girava in mezzo agli alberi, poi se ne stava ferma dietro una siepe.

«Voglio restare a tenerti compagnia», disse a Giorgio.

«Papà, devi andare», rispose Giorgio, «e devi vincere per me.»

Non vinse, la macchina prese fuoco e ci fu il solito miracolo a salvarlo. Saltò giù di corsa prima che le fiamme lo afferrassero. Non vinse la coppa Vanderbilt, anche se aveva sentito che Giorgio era accanto a lui, che gli diceva, come tante altre volte: «Spingi, papà, taglia la curva come sai fare tu, dimentica d'avere i freni, tanto ci sei abituato, a non frenare».

Come arrivavano i ricordi, quella notte, sul *Rex*... Lasciami in pace, Giorgio. Doveva giustificarsi, certo. Doveva battersi la mano sul petto... Come dicono i miei compagni di corsa? Giorgio era uscito di strada, era uscito dalla vita.

Gli venne in mente proprio questa espressione che tante volte aveva vissuto e tante volte aveva sentito esclamare in momenti terribili che sentivano di olio bruciato e di lamiere sfregate sull'asfalto. Come per il suo amico Bernd Rosemeyer durante un tentativo di record a 450 chilometri orari sull'autostrada che porta da Francoforte a Darmstadt. Era il 28 gennaio 1938. Bernd uscì di strada. «Sai, Tazio, l'Auto Union si è disintegrata, e lui pure...» «Sai, Tazio, c'era rimasto ben poco del povero Bernd.» Era stato il padrino di battesimo del figlio di Bernd ed Elly.

Ma per Giorgio era andata in modo diverso, stava per dire banale, ma si trattenne e pianse di nuovo sotto il grande sguardo dell'Oceano. L'aveva annientato una malattia che i medici definivano incurabile: una miocardite. Sillabò mentalmente quella parola sciagurata che non aveva mai capito bene cosa significasse.

Una maledizione che era saltata addosso a Giorgio nel collegio svizzero dove lo avevano mandato a studiare francese e tedesco. Aveva giocato a pallone, aveva sudato e poi all'improvviso si era sentito avvolto da una ventata gelida. Una ventata perfida, come un sudario. Lui era arrivato nel collegio assieme a Carolina. Erano stati avvertiti troppo tardi. La febbre era sempre più alta. Giorgio si consumava.

«Ha i giorni contati», gli dissero i medici svizzeri. Avevano pronunciato la sentenza. Riportarono Giorgio a casa, nella sua camera dov'erano disseminati i modellini di automobili da corsa, dove c'erano tanti ritratti del padre, vestito da soldato alla fine della guerra, pochi giorni prima che Giorgio nascesse, le fotografie con la tuta da corridore motociclista, le immagini al Gran Premio di Montecarlo, alle Mille Miglia, a Monza, al volante dell'Alfa P 3, al Nürburgring, assieme a Enzo Ferrari, con Gabriele D'Annunzio che al momento del commiato gli aveva regalato una piccola tartaruga d'oro con la dedica: All'uomo più veloce del mondo, l'animale più lento, le fotografie con Mussolini a Villa Torlonia che diceva che il successo alla Coppa Vanderbilt del 1936 poteva paragonarsi a una battaglia vittoriosa e che la folla di emigranti sul molo di New York era una prova di fierezza per la nuova Italia, la fotografia di Henry Ford con le parole: «Quando vedo passare un'Alfa Romeo mi tolgo il cappello...»

Tutte le fotografie della stanza di Giorgio, tutti i ritagli dei suoi giornali e poi tutti i suoi vestiti, tutti i suoi libri, tutti i suoi disegni. La stanza dove Giorgio lo aveva invocato prima di spirare.

III

Nuvolari si morse un dito per evitare di lanciare un grido che avrebbe udito solo l'Oceano. Passò un ubriaco, un uomo in smoking. Gli disse qualche parola in inglese, traballò e fu sul punto di cadere. Tazio lo aiutò e, dopo averlo osservato mentre si allontanava, si allungò su una sdraio del ponte A. Pensò a Carolina che dormiva nella cabina. Era una donna coraggiosa, degna di portare il nome Nuvolari.

Era vero: nell'imminenza della morte di Giorgio non voleva correre. Era preso da strani pensieri. Strani? A cosa doveva pensare un padre che vive gli ultimi giorni del figlio? Non voleva andare per circuiti perché sapeva che avrebbe cercato la morte. Non poteva morire assieme a Giorgio, allora era meglio morire prima di lui.

Avrebbe potuto finirla al circuito di Torino, il 15 aprile, quando l'Alfa, uscendo di strada, s'era capovolta e lui era stato buttato sull'asfalto. Un errore di valutazione, dissero.

Poi la macchina da corsa e quel Tazio sfrenato che viveva e lottava con il Tazio sofferente ebbero il sopravvento. Tornò a correre, corse bene e gli capitò anche di vincere. I tedeschi volevano che firmasse un contratto con loro.

«Avete tanto insistito perché io partissi per la coppa Vanderbilt», disse ad alta voce pensando ai famigliari, e poi si guardò intorno temendo che qualcuno potesse aver ascoltato le sue parole. Non c'era nessuno, sul ponte A, anche l'ubriaco era scomparso. Gli venne voglia di andare in cabina, aveva bisogno di allungarsi accanto a Carolina, poi fu colto da un'improvvisa sensazione di paura, come se gli avessero rovesciato addosso dell'acqua ghiacciata, tornarono le lacrime e neanche la grande nave riuscì a rincuorarlo.

Ho sempre sognato il fuoco, pensò, e il fuoco mi ha risparmiato mentre guidavo la mia Alfa in quel maledetto Roosevelt Field di New York. Giorgio era morto da otto giorni. Ho sempre corso per vincere e ho molto vinto, ma quella volta avrei preferito morire bruciato.

Pochi giorni fa ho pensato di ritirarmi, ci ho riflettuto molto, ma ritirarsi significa, in fin dei conti, prendere una pistola e spararsi in testa. Non è una fine da Nuvolari. Torno in Italia, Giorgio, e a fine luglio sarò al Nürburgring. Non te la prendere, Giorgio: guiderò un'Auto Union, una macchina tedesca.

Ho sempre cavalcato la morte, l'ho vinta e lei si è vendicata su mio figlio. Mio adorato Giorgio, ci siamo lasciati senza abbracciarci in quell'ultimo tuo respiro... Mi resta Alberto, il fratellino, come lo chiamavi tu.

Ma le sofferenze di Nuvolari non erano finite.

Il secondogenito Alberto morì di un male incurabile l'11 aprile 1946. Da quel giorno fino al 1950 Nuvolari fu primo assoluto in una sola corsa. Fece entusiasmare l'Italia nella Mille Miglia del 1947 correndo con una piccola Cisitalia contro macchine di gran lunga superiori. Rimase al primo posto a lungo, sfrecciava come un demonio fino a quando un temporale non inondò l'abitacolo. Nonostante ciò, arrivò secondo. Aveva cinquantacinque anni. Ormai i gas di scarico gli avevano divorato i bronchi e i polmoni. Tazio Nuvolari si spense nell'agosto del 1953.

14

Il corpo bianco e spellato della balena decapitata risplende come un sepolcro di marmo e, sebbene mutato di colore, non ha perduto nulla di percettibile in volume. È sempre colossale. Lentamente si scosta sempre più, l'acqua intorno è squarciata e fatta schizzare dai pescecani insaziabili, e l'aria in alto tutta afflitta dai voli rapaci di uccelli stridenti, i cui rostri si accaniscono sulla balena come tanti irriverenti pugnali...

HERMAN MELVILLE, *Moby Dick*

I

STRANAMENTE il tempo sembrava scorrere molto più in fretta, sulla terra. Sul mare il *Rex* dava l'impressione di contrastarlo, come se volesse imporre il proprio ritmo alle lancette e rallentarne la corsa.

Nel 1939 continuava la sua spola tra Genova e New York, bello, riverniciato, lucido, carico di bella gente che aspettava le giornate di sole per abbronzarsi. Quando l'Atlantico era di zaffiro, di quel blu intenso che fa innamorare i marinai, la nave lanciava festosi appelli di sirena a tutti i naviganti che incontrava. New York le riservava come al solito una gran festa, e altrettanto facevano Napoli e Genova a ogni ritorno. Erano passati quasi sette anni, dal viaggio inaugurale, e pareva sempre la prima volta. I grandi amori sono così.

La spavalda e gioiosa libertà del *Rex* non si addiceva ai propositi del Terzo Reich e del regime fascista. Il 22 maggio 1939, la radio annunciò la firma, a Berlino, del Patto d'Acciaio. L'Italia si suicidava impiccandosi a quel legame.

La temperatura a Genova era mite, il 22 maggio. Solo qualche nuvola bianca si appoggiava delicatamente sulle colline. Dopo il suo ottantottesimo viaggio, il *Rex* si riposava attraccato alla banchina.

Chi poteva fermare quei giorni che rotolavano come macigni? Il 1° settembre 1939 la Germania invase la Polonia, e cominciò lo sferragliare dei Panzer del *Blitzkrieg*, la guerra lampo. L'invasione fece divampare il grande incendio perché la Francia e l'Inghilterra dichiararono guerra alla Germania.

Il 16 ottobre 1939, l'alta società lesse il *New York Times* apprendendo il ritorno delle belle americane miliardarie che oziavano in Italia. Calava il sipario, al suono del passo romano lungo i Fori Imperiali, sull'estasi offerta dai latin lover, che spesso erano esortati a fare all'amore in divisa fascista, fez e mutande nere compresi. Le *créatures de rêve* scelsero il *Rex* per tornare in patria, forse perché sulla nave italiana speravano di prolungare le loro follie amorose con i maschi italiani. Consideravano il *Rex* come la «loro» nave, la nave che esaltava gli aspetti più belli dell'esistenza. Ecco la miliardaria Barbara Hutton, che aveva rotto il suo secondo matrimonio con il conte danese Kirt Haugwitz-Reventlow e possedeva il Palazzo a Mare costruito sulle rovine della villa del divo Augusto; ecco Frances Mona Williams, intima, anzi intimissima amica di Eddie Bismarck, le cui notti allo Smeraldo di Punta Tragara fruttavano all'Ovra succulenti rapporti letti avidamente da Mussolini come se fossero novelle pornografiche.

I ricchi americani avevano obbedito a un ordine della loro ambasciata: fate in fretta, l'Italia scotta, tutta l'Europa scotta. Al posto di polizia di New York, Barbara Hutton si vide ritirare il passaporto. Era stata accusata di avere una fotografia di Mussolini a torso nudo nella sua villa di Capri e di essere amica di Oswald Mosley, il capo del fascismo britannico.

Erano episodi, questi, da cronaca mondana che, invece di offrire una scappatoia frivola alle notizie gravi, ne sottolineavano l'atrocità. La Germania, accecata o soggiogata dalla propaganda nazista, era guidata da un essere che difficilmente la psichiatria avrebbe saputo definire e catalogare. Tutta la nazione tedesca s'era ammalata.

Con una grande bandiera tricolore dipinta sulle fiancate, come prova della sua neutralità, il *Rex* raggiunse per l'ultima volta New York il 9 maggio 1940 con più di mille passeggeri e la lasciò l'11 maggio.

Una folla di italo-americani venne a salutarlo e ci fu chi pianse e chi cantò qualche canzone napoletana. Nessuno cantò *Giovinezza*, l'inno fascista. Gli italo-americani sapevano che l'Italia prima o poi sarebbe scesa in guerra al fianco di Hitler, e che loro, presto o tardi, avrebbero dovuto combattere contro il Paese d'origine, contro il Paese dei loro padri.

«Addio, paisà», si udì gridare più volte al porto di New York.

Il transatlantico si staccò lentamente dalla banchina alle

14.25 e, dopo aver lasciato i rimorchiatori, passò sotto i grattacieli. Il nuovo comandante, Vittorio Olivari, dette l'ordine di scatenare le anziane sirene Typhon che, come sempre, fecero tremare i vetri degli edifici. Alcuni motoscafi inseguirono il *Rex*, e una goletta spinta da un vento gagliardo lo fiancheggiò per qualche miglio, poi dovette virare. Il *Rex* usciva per sempre dal sogno americano.

II

Il 6 giugno 1940, affacciato al balcone della casa di Corso Italia, Francesco Tarabotto guardò la sua nave che si preparava a salpare. Non c'era nessuna fretta, nelle ultime manovre, e non c'era gente a salutare i passeggeri alle murate.

Il fatto è che non c'era anima viva, alle murate. Il vecchio comandante tenne gli occhi incollati al binocolo anche perché non voleva che qualcuno lo vedesse piangere.

Il *Rex* si mosse silenziosamente, come se non volesse che i genovesi si accorgessero della sua partenza, i rimorchiatori zitti zitti lo portarono verso l'uscita del porto di Genova e Tarabotto seguì il transatlantico finché gli fu possibile. Se avesse potuto, sarebbe stato in plancia, lo avrebbe accompagnato. Gli amici debbono essere presenti, nei momenti tristi.

Il vincitore del Nastro Azzurro era destinato al disarmo e ogni marinaio sa che cosa significa questa parola. È l'inizio della morte, sempre che non accada (e non accade mai) un fatto imprevedibile. Si tratta di una specie di coma durante il quale le strutture arrugginiscono, le macchine si coprono di grasso nero e vischioso, tutto ammuffisce e la grande anima del bastimento, impaurita, cerca rifugio nella stiva più profonda. E aspetta la fine. Tarabotto sapeva che il *Rex* aveva una grande anima. Sennò perché un uomo della sua tempra avrebbe pianto?

La Società di Navigazione Italia, che credeva stupidamente in Mussolini, era convinta che il transatlantico sarebbe tornato a New York in settembre. La guerra si sarebbe conclusa in poche settimane, com'era accaduto per la Polonia. I tedeschi apparivano folgoranti.

Tutte storie, pensò Tarabotto. Ciò significava non conoscere la forza morale non tanto della Francia quanto della Gran Bretagna. Strategicamente e storicamente i fascisti, come i nazisti, commettevano un peccato d'ignoranza e presunzione: gli Stati Uniti non avrebbero mai abbandonato la Gran Bretagna nelle mani di Hitler. E gli Stati Uniti erano invincibili. Le loro fabbriche belliche erano mostruose per capacità di produzione e i loro dollari avrebbero potuto comprare qualunque scienziato che avesse ideato armi avveniristiche.

Il *Rex* obbedì agli ordini del ministero della Marina mercantile. Scese lungo le coste tirreniche e qualche barca a vela lo avvicinò, mai immaginando la sua sorte. Poi risalì l'Adriatico scortato da una nave militare. Un mare stretto come un canale, senza grande respiro. Il *Rex*, un po' sbandato sulla destra, arrancava riluttante, perché era nato per l'Oceano.

Si disse che fosse stato allontanato da Genova per evitare un bombardamento da parte della flotta francese. Tutte storie, inveì nuovamente Tarabotto davanti ai suoi fratelli.

215

Aveva parlato con i pezzi grossi della Società Italia. Il 6 giugno la Francia era già in ginocchio, e inoltre non avrebbe osato sparare sul *Rex*, glorioso avversario del *Normandie*.

L'inizio delle ostilità era stato fissato da Mussolini per il 10 giugno e le truppe italiane si muovevano malvolentieri sulle Alpi e ai confini della Costa Azzurra.

Con animo sempre più triste, Francesco Tarabotto la pensava così: mandare il *Rex* in disarmo era un insulto; la nave avrebbe voluto incontrare la bella morte, magari sotto il fuoco di una corazzata inglese in pieno Mediterraneo. E ce ne sarebbero volute, di cannonate, per mandarla a fondo.

Ormai Tarabotto non contava più nulla, e non contavano più nulla neanche i bei fantasmi del passato che la pace aveva abbandonato facendo le valigie. Il *Rex* doveva agonizzare piano piano. Mussolini non poteva accettare che i giornali britannici titolassero: «Gloria della Marina mercantile italiana affondata... eccetera, eccetera».

La nave raggiunse Pola il 9 giugno, dove fu riverniciata con un sudario mimetico, poi, il 15 agosto, se ne andò a velocità ridotta, come una carretta qualsiasi, a Trieste, dove attraccò a poca distanza dal cantiere San Marco, al molo VI. E lì stette per lungo tempo.

III

La soldataglia tedesca non si vergognò. E del resto come poteva vergognarsi un esercito che era stato complice o autore del male assoluto? La Wehrmacht e le SS cominciarono ad agire con metodo dopo l'8 settembre 1943.

Un *Rex* irriconoscibile e grigiastro era a portata di mano

216

per i predatori nazisti. Era ancora giovane: una nave con undici anni di età ha molti orizzonti marini davanti a sé.

Salirono a bordo del *Rex* di notte e di giorno e portarono via tutto; lo svuotarono con insolenza e perfidia; staccarono quadri, infissi, statue, decorazioni, smontarono scalinate. Si comportarono da cavallette. Alla spoliazione parteciparono soldati semplici e ufficiali; si videro persino dei generali con i pantaloni ornati dalla banda rossa. Tutti avevano il loro pezzo di *Rex*. S'impadronirono di tappeti, arazzi, poltrone, tavolini, sedie, biancheria, impianti radio, arnesi da ginnastica, tende, posate, bicchieri, tazze dei gabinetti. Fu una rapina totale, e gli oggetti finirono in case tedesche e anche austriache. La Wehrmacht non toccò gli immensi macchinari che servivano a far navigare la nave.

Depredato e soprattutto umiliato dalla bandiera con la svastica che era stata innalzata a poppa, il *Rex* era irriconoscibile. Una patina che sembrava lebbra divorava ogni giorno di più le sue strutture esterne. La ruggine ormai ne insidiava lo scafo e le parti esposte, come il Ponte Sole e le piscine che ospitarono i corpi dorati della più bella gioventù d'Europa e d'America.

Trieste, la Venezia Giulia e il Friuli erano passati alla Germania. Il governo di queste zone, chiamate Litorale Adriatico (*Adriatisches Küstenland*), era stato affidato al governatore della Carinzia, Friedrich Rainer, che odiava l'Italia. A suo parere, il Friuli e la Venezia Giulia erano estranei all'identità italiana, per cui la loro separazione era giustificata.

Sul finire dell'ottobre 1943, gli edifici dello stabilimento per la raffinazione del riso, costruito nel 1913 nel rione periferico di San Sabba, furono trasformati dai tedeschi in prigione, campo di smistamento per le deportazioni in Germania e deposito di beni razziati agli ebrei e alle popolazioni dei villaggi in Istria e nel Carso.

Non passò che qualche mese e l'essiccatoio divenne un forno crematorio. C'era già pronta la ciminiera dello stabilimento, alta 40 metri. Il collaudo del nascente campo di sterminio della Risiera di San Sabba fu eseguito il 4 aprile 1944 con i settanta cadaveri degli ostaggi fucilati il giorno precedente al poligono di Opicina, sobborgo di Trieste.

I metodi di esecuzione erano diversi: i più diffusi erano la gassazione in automezzi attrezzati, il colpo di mazza alla nuca o la fucilazione. Non sempre il colpo di mazza uccideva, e così il forno ingoiava persone ancora vive. Il fragore di motori a tutto regime, i latrati dei cani aizzati e le musiche di Wagner a volume molto alto coprivano le grida e il suono della fucileria. Si parla di 5000 morti, soprattutto ebrei nel solo 1944.[1]

IV

Il *Rex* marciva a poca distanza da tale orrore. A prua e a poppa sfilavano lentamente le sentinelle delle SS. E al suo interno regnavano i topi e le prostitute dei tedeschi. Gli addetti alla Risiera di San Sabba dovevano distrarsi. Erano aguzzini privilegiati.

Prostitute e tedeschi non osavano muoversi dalla grande sala da ballo situata in alto, al centro della nave, dove una volta c'erano mobili preziosi e arazzi del Settecento. All'insaputa (forse) dell'alto comando avevano portato alcuni tavoli e numerose brande, e si davano ai bagordi sotto i ritratti di Hitler e le bandiere con la svastica. Alcuni angoli erano sporchi dei loro escrementi.

L'immensità desolante e buia del resto della nave li spaventava. Da quel susseguirsi di cabine, ponti, passeggiate e dal basso usciva un respiro ostile.

Erano stati notati anche alcuni ufficiali, ma si conoscevano soltanto due nomi, il maggiore Fritz Haider e il capitano Walter Schratzer. Erano addetti ai beni sequestrati alle comunità ebraiche. Secondo alcune testimonianze, talvolta arrivavano, evitando la grande sala da ballo, assieme ai loro uomini, i quali portavano sulle spalle casse di media grandezza. Si dirigevano verso il ponte C, dove un tempo si trovavano le cabine di prima classe.

Chi li vide non dubitò un istante che si stessero arricchendo con un traffico di gioielli, quadri e altri oggetti preziosi strappati alle loro vittime. Non tutti i beni erano registrati nelle società create a questo scopo dal comando dell'Adriatisches Küstenland, sovente gestite da italiani.[2]

Il 10 giugno 1944 Trieste fu bombardata. Fu terribile, ma il *Rex* non fu centrato. Il 6 e il 10 i quadrimotori tornarono, e neanche allora il *Rex* fu toccato. Il 5 settembre il comando tedesco decise di trasferire la nave nella baia di Capodistria davanti al monte San Marco. Era un relitto, quello che si mosse, lo spettro della nave che tutto il mondo aveva festeggiato e che tanto piacere e orgoglio aveva dato ai suoi passeggeri.

I tedeschi filmarono il breve viaggio e risero a crepapelle quando il transatlantico, per imperizia di chi dirigeva la manovra, s'incagliò davanti a Semedella, fra Isola e Capodistria. Da Trieste dovettero tornare i rimorchiatori per liberarlo. La grande nave emise come un ruggito quando sfuggì alla presa della secca di sabbia.

V

Ivan Stok dovette credersi un eroe, quando segnalò al comando alleato di Bari che il *Rex* si trovava fra Isola e Capodistria, immobile, come un grande malato. L'informatore Ivan Stok apparteneva alla quindicesima divisione slava, e si vantò con i suoi amici dell'azione di spionaggio. Tutto dipese da lui perché, forse, gli Alleati non avrebbero nemmeno pensato a quel grosso bestione indifeso che aspettava solo un miracolo. Il miracolo di tornare a navigare nell'Atlantico.

Alle ore 11 del mattino dell'8 settembre 1944 i sei cacciabombardieri Beaufighters dell'Aviazione sudafricana si levarono da Falconara Marittima. Erano particolarmente adatti a fulminei attacchi antinave ed erano dotati di missili. Non ci misero molto a raggiungere la baia di Capodistria.

Spararono più di cento missili contro il *Rex*. Era come fare del tirassegno, era di una grande semplicità. Fu colpita la zona a proravia del ponte di comando, e dovette aprirsi una falla che provocò un leggero sbandamento. Si alzò del fumo. La contraerea tedesca non sparò neanche un colpo. Sul litorale s'era ammassata della gente. Per gli slavi era uno spettacolo.

220

Ore 12.30, secondo attacco. Il fumo che si sprigionava dallo scafo era in aumento, lo sbandamento si era accentuato. Il navigatore Dennis Andrews della Royal Air Force raccontò, tornando a Falconara: «La nave sembrava sempre grande e bella. Mi ricordai che aveva vinto il Nastro Azzurro. Provai pietà per lei: perché dovevamo affondarla? Non offriva alcuna resistenza, ma poi ebbi l'impressione che fosse pronta ad affrontare il sacrificio. Eravamo in guerra, e scaricammo i nostri missili».

I cinquanta missili indirizzati dal navigatore Dennis Andrews e dai suoi compagni furono più precisi degli altri. Si levarono alte fiamme dai ponti e ormai le nuvole di fumo che uscivano dalla fiancata destra, dove passava l'elegante passeggiata della prima classe, erano spaventose. Il *Rex* si piegò sul fianco sinistro, la chiglia verso la terra, i ponti verso l'altomare. Mostrava la carena, e i molluschi che vi si erano incrostati aprirono le valve e morirono.

I pescatori slavi che si erano avvicinati udirono suoni laceranti come urla. Erano emessi dalle strutture che cedevano. A loro sembrò, essendo marinai, che fosse il *Rex* a gridare. Alcune lamiere dello scafo erano incandescenti. Il fumo bituminoso raggiunse presto la costa e la strada litorale fra Semedella e Isola, sulla quale c'erano alcuni italiani, pochi in verità, che gridarono di rabbia.

Ore 16, terzo attacco. Scesero sul relitto fumante sei aerei, quattro della RAF e due sudamericani. «M'ero portato una macchina fotografica», raccontò un navigatore, «e vidi la nave tra le fiamme. Ci aspettavamo una minima azione contraerea contro di noi. Eravamo preparati al peggio, pensavamo che quella grande nave fosse ben protetta dalle batterie costiere, soprattutto in seguito ai precedenti attacchi. Noi eravamo stati mandati là per finirla... Ci mettemmo in formazione a volo radente e le scagliammo contro tutti i missili a nostra disposizione sulla fiancata. Non mancammo un colpo; furono 64 in tutto, andati tutti a segno. La nave bruciava da prua a poppa in un immane incendio. Venne sparato qualche colpo dalla contraerea di Trieste; ormai era tempo di andarcene, ma prima passammo sopra al relitto e scattai delle foto. Mentre rientravamo senza un graffio, telegrafai con il codice Morse in italiano 'REX FINITO', come le mie foto avrebbero poi mostrato chiaramente... Fu un vero delitto.»

Il *Rex* bruciò per tre giorni; il fumo arrivò fino a Trieste, dove era stato varato il suo rivale, il *Conte di Savoia*. All'interno della nave non rimase nulla. Tranne lamiere scheletrite e caverne annerite dove un giorno c'erano lusso e bellezza. I missili avevano aperto voragini in fondo alle quali si muoveva un mare nerastro pieno di legname bruciacchiato. I proiettili avevano divorato anche le profondità della nave, dove tempo prima s'era rifugiato il suo spirito.

Un relitto ha un senso. Si può andare su un relitto e pregare o ricordare, sentire ancora qualcosa che vibra misteriosamente. Un relitto, che in fin dei conti è un monumento, conserva ancora un'anima. Forse il *Rex* sperava che, nel

1945 e negli anni che seguirono, qualcuno in Italia si ricordasse delle sue traversate dell'Oceano, delle sue corse nell'Oceano. Non tanto del Nastro Azzurro, ma di tutto l'entusiasmo che aveva sollevato con il suo apparire, con il suo andare e venire tra Genova e New York. Ma nessuno o quasi nessuno pensò più al *Rex*. Il relitto fu lasciato agli slavi che si comportarono come i tedeschi. Lo depredarono come fosse una miniera di ferro, ricavandone 11.000 tonnellate di metallo. Metallo sacro di una nave per la quale non ebbero alcun rispetto.

Nel 1955, nella baia, c'era ancora la carena che affiorava. E una struttura di prora usciva dall'acqua come la mano di uno scheletro. Insaziabili, gli slavi vennero con la dinamite per recuperare ciò che restava.

Infine la sabbia, come per proteggerli, inghiottì gli ultimi resti. Pare che un'elica sia sfuggita ai predoni. E che adesso Dio la protegga dai sommozzatori.

Note

1. Uno dei maggiori storici di quel periodo è Silva Bon. Oggi la Risiera di San Sabba è riconosciuta monumento nazionale affinché «sia conservata e affidata al rispetto della nazione per il suo rilevante interesse, sotto il profilo storico-politico», come prescrive il decreto n. 510 del 15 aprile 1965 del presidente della Repubblica. Il forno crematorio e la ciminiera vennero distrutti dai nazisti nella notte tra il 28 e il 29 aprile 1945 per eliminare le prove dei loro crimini. Tra le macerie furono rinvenute ossa e ceneri umane che furono raccolte in tre sacchi di carta, di quelli usati per il cemento. Il processo per questi crimini si è concluso a Trieste nel 1976.

2. Ingrid Haider, figlia del maggiore Haider, ora defunto, ha rac-

contato che il padre, nel dopoguerra, era stato accusato insieme con altri ufficiali tedeschi di aver nascosto oro, pietre preziose e braccialetti nella cabina numero 87 e nella stiva del *Rex*. Nel 1954 Haider fu convocato dal tribunale di Bonn per rispondere dell'imputazione di saccheggio ai danni degli ebrei di Trieste. Sostenne d'essere estraneo ai fatti e il procedimento fu sospeso. Ma dieci anni dopo un suo subordinato, il capitano Walter Schratzer, prima di morire, accusò Haider, e affermò di essere stato suo complice. Di nuovo convocato dai giudici, l'ex maggiore della Wehrmacht scaricò ogni responsabilità su Schratzer. Amen.

Disse la figlia di Haider: «Sul letto di morte mio padre mi confidò di non aver fatto nulla di male. E volle giurarmi che il vero colpevole era Schratzer».

Epilogo

Ho incontrato Mario Magonio nel luglio del 2002. Era un pomeriggio di sole a Nervi. Il signor Magonio mi aveva raccontato la sua storia come protagonista del varo del *Rex* e la sua storia di orfano, operaio specializzato e prigioniero dei tedeschi. E c'era stato, subito dopo, un lungo silenzio che lui stesso interruppe dicendo: «Vuol sapere cosa penso dell'affondamento del *Rex*?»

Il figlio s'interpose: «Dai, papà, diglielo».

«È stata una vendetta degli inglesi e… dei tedeschi», gridò il vecchio.

«Cosa vuol dire, signor Magonio?»

«Io non credo a tutte le spiegazioni strategiche… Il *Rex* era una nave moribonda, non minacciava nessuno, era stata depredata selvaggiamente dai tedeschi. Era lì, alla fonda. Che senso aveva accanirsi contro un relitto? Spargli con i razzi? Non poteva difendersi, e nessuno ha voluto difenderlo. Perché la contraerea non ha reagito come avrebbe potuto? Gli inglesi hanno voluto vendicarsi perché il *Rex* aveva conquistato il Nastro Azzurro. Non hanno mai accettato il fatto che una nave italiana avesse potuto meritare il trofeo. E i tedeschi lo hanno depredato e non lo hanno difeso con i loro cannoni per vendicarsi di aver perso il Nastro Azzuzzo nell'agosto del 1933 e per far perdere ogni traccia dei loro furti sulla nave. L'affondamento del *Rex* è stata una vigliaccata. Specialmente per uno come me, che si sentiva uno dei suoi tanti padri... O chissà, forse eravamo noi, tutti suoi figli...»

Postfazione

PER quanto il nome del *Rex* sia stato consacrato definitivamente negli annali della storia con la conquista del Nastro Azzurro, a dire il vero, quella nave aveva attirato l'attenzione del pubblico e della stampa internazionale sin dal suo concepimento.

Nel clima di recessione provocato dalla grande crisi del '29, la notizia della messa in cantiere del più grande, lussuoso e veloce transatlantico mai realizzato aveva fatto il giro del mondo. Notizia ancora più eclatante perché la nostra nazione aveva avuto fino ad allora navi modeste (e spesso di costruzione straniera), armate per il trasporto in massa degli emigranti: 15 milioni di disgraziati che, dal 1876 (quando l'ISTAT, appena nato, cominciò a contarli) fino a quel momento, avevano lasciato la loro terra per disperazione, in cerca di fortuna in paesi lontani, soprattutto le Americhe, in un'epoca in cui il globo era ancora «immenso» e si partiva per non far più ritorno.

Quando negli anni della «Belle Epoque» la stampa internazionale celebrava l'entrata in servizio di colossi dai nomi leggendari, quali il *Lusitania*, il *Titanic*, l'*Aquitania*, l'*Imperator*, navi da circa 50.000 tonnellate e oltre 20 nodi di velocità, l'ammiraglia della marina italiana, il *Principessa Mafalda*, non raggiungeva le 10.000 tonnellate e i 20 nodi erano, per la sua potenza, un miraggio. Nessuno all'estero si era accorto di quella nave, sulla quale oltretutto gravava il fantasma della sua gemella, il *Principessa Jolanda*, di cui la stampa internazionale si era occupata, eccome, al momento del suo varo, nel 1907. Il *Jolanda*, primo transatlantico di lusso, per quanto piccolo, costruito in Italia, era nato sulla spiaggia di Riva Trigoso, in Liguria, e per l'evento del varo furono invitati, con insistenza, i corrispondenti in Italia delle principali riviste straniere; la nave, intesa a divenire il timido primo passo italiano nel settore, si era ribaltata appena scesa in acqua, scomparendo tra i flutti e portando con sé il sontuoso banchetto organizzato a bordo per l'inaugurazione e le speranze di un più radioso futuro sul mare di un'intera nazione. I giornali inglesi, francesi, tedeschi e americani diedero risalto alla notizia, ma in termini ben diversi da quelli che ci si augurava!

Ci sarebbero voluti 24 anni (complice anche il primo conflitto mondiale), perché i corrispondenti di tutto il mondo tornassero ad assistere a un varo in Italia, ma questa volta non ci fu bisogno di insistere per averli presenti. Il *Rex* sarebbe sceso in acqua dal cantiere Ansaldo di Sestri Ponente il 1° agosto 1931 tra enormi festeggiamenti: non si celebrava semplicemente «la nave», ma il cinquantesimo anniversario della fondazione della sua compagnia armatrice, la Navigazione Generale Italiana, meglio nota come NGI. Il *Rex* era il coronamento di un sogno, un grande sogno, di due pionieri della navigazione mercantile italiana, l'uno genovese, l'altro siciliano, che dedicarono la loro vita per una comune e lungimirante intuizione quando ancora l'Italia, a dire il vero, non esisteva: la creazione di una grande e moderna flotta mercantile nazionale, per contribuire al benessere, all'evoluzione e alla crescita economica della nostra penisola.

Fondata nell'estate del 1881 a Roma con sedi operative a Genova e Palermo, la NGI fu la prima grande impresa italiana che collegava le due estremità della penisola, da poco unificata, passando per la nuova capitale d'Italia. L'atto di costituzione venne rogato a Roma il 4 settembre e sottoscritto in maggioranza dall'armatore genovese Raffaele Rubattino e dall'armatore palermitano Ignazio Florio, decisi a sospendere ogni rivalità per unire le loro forze, nell'intento comune di fronteggiare l'agguerrita presenza nei porti italiani di servizi marittimi appartenenti a nazioni di ben più consolidata storia e tradizione navale.

Con 81 piroscafi, numerose unità di servizio e infrastrutture portuali per il trasporto di merci ed emigranti e la manutenzione della flotta, la NGI era un colosso finanziario, seconda compagnia di navigazione in Mediterraneo (dopo le «Messageries Maritimes» di Marsiglia) e quarta al mondo; le sue rotte, oltre a coprire l'intero Mediterraneo e il Mar Nero, si spingevano via Suez fino in India, Sumatra, Giava e Hong Kong. Mentre solo due piccoli piroscafi da 3700 tonnellate di stazza (il *Vincenzo Florio* e il *Washington* costruiti dall'armatore siciliano) collegavano l'Italia a New York.

Nel 1884, la NGI incorporò le flotte degli armatori genovesi Edilio Raggio ed Erasmo Piaggio, che detenevano il monopolio della rotta con il Sud America, all'epoca la più proficua per numero di emigranti. La società continuò a crescere e il business andò a «gonfie vele», fino al 1891, quando morì Ignazio Florio, la vera mente strategica della società, e i famigliari cedettero quest'ultima alla Banca Commerciale Italiana di Milano. La BCI era creatura del governo di Francesco Crispi, sotto il quale la politica di acquiescenza nella «svendita» delle attività industriali italiane in cambio di capitale fresco di Austria e Germania toccò i suoi apici con la firma della Triplice Alleanza. In un paio d'anni la NGI dovette sospendere tutte le linee con il Nord America, e il trasporto degli emigranti da Genova a New York venne maldestramente concesso in esclusiva alle potenti compagnie anseatiche Norddeutscher Lloyd e Hamburg-Amerika Linie, nella impotente costernazione del mondo armatoriale italiano.

La NGI dovette così sopravvivere accontentandosi delle linee postali mediterranee e dei collegamenti con l'America Latina e il Lontano Oriente, finché la scena politica italiana non cambiò radicalmente con l'insediamento di Giovanni Giolitti e, soprattutto, la Grande Guerra, non spazzò via la presenza teutonica dalla nostra penisola.

I tedeschi e gli austriaci non si risparmiarono un'atroce vendetta nel confronto della NGI: si persero per siluramenti e urti contro mine il *Principe Umberto*, il *Ravenna*, il *Cordova*, il *Luisiana*, il *Regina Elena* e il *Verona*; quest'ultima unità, silurata dai tedeschi, era appartenuta, ironia della sorte, a una società di navigazione a capitale tedesco ma con sede in Italia che allo scoppio del conflitto era stata posta sotto sequestro dal governo italiano e ceduta alla NGI. Fu un'immane catastrofe, di gran lunga la maggiore nella storia italiana: il 9 maggio 1918 il *Verona* andò a picco trascinando con sé 880 persone, in gran parte donne e bambini ai quali il sogno di rifarsi una vita nella «Merica» fu brutalmente strappato senza altra ragione che l'odio e la vendetta.

Alla vigilia del primo conflitto, la NGI aveva ordinato due grandi piroscafi per il Sud America, uno all'Ansaldo di Genova (il *Duilio*), uno (il *Giulio Cesare*) a un celeberrimo cantiere inglese, Swan, Hunter & Wigham Richardson, che pochi anni prima aveva costruito il transatlantico più grande e veloce del mondo, il *Mauretania*, per una compagnia altrettanto famosa, la Cunard Line.

Sebbene poterono essere entrambi in servizio soltanto nel 1923, furono due magnifiche navi che con le loro oltre 20.000 tonnellate erano grosse oltre il doppio di qualsiasi altra nave italiana precedente. Il *Duilio*, costruito a Genova, non ebbe nulla da invidiare al gemello inglese, anzi, e fu dunque un enorme successo per l'Ansaldo: da allora in poi non ci fu più bisogno di andare all'estero per ordinare un transatlantico.

Nel frattempo il Quota Act – promulgato dagli Stati Uniti nel 1921 – aveva portato a una progressiva riduzione degli emigranti verso il Nord America, dirottando nuovamente il flusso verso il Centro e Sud America. La NGI corse ai ripari decidendo di rafforzare la sua flotta su queste linee e anche di inserirsi nel traffico alternativo agli emigranti su quella del Nord; si stavano effettivamente consolidando diverse nicchie alternative di passeggeri: *businessmen*, nobili, uomini politici, star dello spettacolo, alti prelati eccetera, che viaggiavano abitualmente in prima o seconda classe e anche turisti nordamericani che, grazie al potere di acquisto del dollaro, desideravano visitare l'Europa, senza potersi però permettere i biglietti di passaggio nelle classi superiori.

Sarebbero così nati, sempre all'Ansaldo, i grandi transatlantici *Roma* (1926) e *Augustus* (1927), sui quali avrebbe debuttato la «classe turistica».

Era ormai prossimo il cinquantesimo anniversario della fondazione della NGI e la grande impresa genovese si preparava a festeggiarlo in grande stile, varando il *Rex*, ordinato in concorrenza a un'iniziativa di altrettanto prestigio del rivale Lloyd Sabaudo, che aveva ormai sul tavolo da disegno il progetto del suo *Conte di Savoia*. Ma quel glorioso anniversario della NGI si sarebbe rivelato anche l'ultima occasione di festeggiamenti per la storica compagnia, che avrebbe pagato un prezzo ben più alto di quanto avesse mai pensato il desiderio di liberarsi del Lloyd Sabaudo, suo acerrimo rivale, e di un altro concorrente nazionalizzato al termine del primo conflitto, la Cosulich di Trieste: proprio alla fine del 1931 tutte e tre le società vennero fuse per volere dello Stato, e il nome della NGI, di cui il *Rex* non avrebbe mai portato i colori, si sarebbe dissolto all'interno della nuova società di bandiera, la Italia Flotte Riunite.

Si trattava di una mossa indispensabile: per il benessere del Paese non si poteva procrastinare oltre la creazione di un organismo parastatale per la gestione di un ramo vitale (in quegli anni, poi, in cui non c'erano aerei di linea) come i collegamenti marittimi. Il fascismo non c'entra, tant'è vero che Francia e Inghilterra decisero nello stesso periodo di sovvenzionare in maniera ben più massiccia la costruzione dei loro *Normandie* e *Queen Mary*, navi ben più grandi e costose da mantenere, e le quali potrebbero essere considerate, da un punto di vista di profitto commerciale, ben più assurde del *Rex*. Ma il transatlantico, il più grande oggetto semovente costruito dall'uomo, il *non plus ultra* della tecnologia del tempo, è un prestigioso ambasciatore in terre lontane della nazione di cui porta i colori, e come tale è un *affaire* nazionale: non si bada a spese per renderlo «straordinario». Questi levrieri dalle linee accattivanti erano dei simboli di prestigio, capaci di attirare magicamente l'attenzione della stampa, e di contribuire in maniera indiretta ma efficace alle attività commerciali e turistiche del loro Paese. In particolare, le ammiraglie «da prima pagina» spingevano il pubblico dei potenziali viaggiatori verso le loro rispettive compagnie, le quali potevano poi dirottare molti passeggeri su altre unità consociali meno clamorose, quelle che dietro le quinte garantivano il vero profitto alla classe armatoriale di tutto il mondo.

Per la costruzione del *Rex*, il governo italiano intervenne tramite la Banca Commerciale Italiana, l'Istituto Italiano di Credito Navale (appositamente creato dallo scorporo e riorganizzazione del vecchio Ufficio Costruzioni Navali del Consorzio Italiano Sovvenzioni sui Valori Industriali) e l'Istituto Nazionale Assicurazioni, con appositi decreti legge, per sostenere gli armatori con la stratosferica cifra di 300 milioni di lire; in un tempo in cui gli italiani sognavano: *Se potessi avere 1000 lire al mese...*

Dopo il crollo di Wall Street, le frontiere statunitensi furono virtualmente chiuse all'immigrazione nel Paese, a cui l'Italia aveva contribuito in modo massiccio. Bisognava inventarsi qualcosa di nuovo per rendere proficua la rotta di New York, trovare nuove nicchie di mercato.

Complice il percorso seguito dalle navi italiane, che per andare a New York uscendo dal Mediterraneo beneficiavano tutto l'anno della calda Corrente del Golfo, il *Rex* non fu concepito come un transatlantico classico, una sorta di lussuoso traghetto per arrivare a destinazione il più velocemente possibile: la nuova ammiraglia italiana doveva diventare la prima nave da crociera della storia, con le dotazioni di bordo rivolte soprattutto a un nuovo stereotipo di passeggero, il turista, che intraprendeva il viaggio per diletto e non per necessità, e come tale aveva esigenze ben diverse dall'emigrante.

Una miriade di novità fecero del *Rex* una nave concettualmente nuova, progenitrice dei grandi villaggi vacanza galleggianti – le navi da crociera – di cui oggi l'Italia è leader mondiale nella produzione.

Per arredare il transatlantico la Navigazione Generale Italiana, armatrice della nave, si era rivolta all'impresa Ducrot-Mobili ed Arti Decorative di Palermo, di cui gli armatori erano azionisti di maggioranza, e difatti tutti i grandi piroscafi della società recavano il marchio inconfondibile della società siciliana. La Ducrot si era affermata sin dal 1899 grazie ai prestigiosi allestimenti del *Grand Hotel Villa Igea* di Palermo, espressione tra le più interessanti del modernismo internazionale; purtroppo questo iniziale sguardo avanguardista non ebbe seguito, e il *Rex*, arredato appunto come un grande albergo dei primissimi del Novecento, fu l'epigono delle cosiddette «navi palazzo», rispecchiando i gusti di una classe aristocratica ormai decadente che la seconda guerra mondiale avrebbe definitivamente dissolto insieme a quella nave che bene la rappresentava.

All'innovazione tecnologica del «levriero» non fece così eco quella degli arredi – come invece avveniva magnificamente su tutte le altri navi italiane del tempo – e sugli interni del *Rex* avrebbe gravato la lapidaria condanna di uno degli interpreti più arguti e polemici del dibattito culturale italiano di quell'epoca, Massimo Bontempelli, che disse: «Al *Rex* non hanno lavorato solo ingegneri, carpentieri, elettricisti, gente con in mano strumenti adatti. Ne sarebbe uscita anche un'opera di perfetta bellezza. No, ci si sono messi anche i decoratori e gli architetti, e non so come Dio non li fulminasse!»

I critici si trovarono invece unanimi sulla qualità esecutiva di allestimenti e arredi, giudicati di altissima qualità. In effetti non si era badato a spese; nel grande salone di prima classe, per esempio, vi erano due grandi arazzi fiamminghi del '700 di inestimabile valore e un tappeto kilim di 170 metri quadrati, forse il più grande mai realizzato in un sol pezzo: prodotto artigianalmente in Anatolia su commissione era costato, da solo, l'equivalente di 250.000 euro.

L'anacronistica veste storicista degli ambienti si stemperava fortunatamente nell'ampiezza e nella luminosità dei grandi saloni, comunque distanti dal proporre le orge decorative e l'affollamento stilistico di alcune navi precedenti; complessivamente il *Rex* apparve come il frutto di una competenza artigianale ed esecutiva notevole, per quanto interpretasse un gusto ormai superato e decisamente in ritardo rispetto alle esigenze emergenti.

Di conseguenza la nave venne accolta tiepidamente dal pubblico americano di classe, che veniva a compiere la sacramentale visita-vacanza nelle grandi capitali d'Europa (un *must* della borghesia statunitense del tempo) e che prediligesse sempre navi «estreme», come il *Conte di Savoia*, arredato in stile Novecento, quasi «hi-tech», o il *Conte Grande*, la nave più kitsch della storia, con arredamenti che parevano ispirarsi ai castelli delle fiabe e che faceva sfigurare le realizzazioni più estreme dell'epoca rococò.

Quello che davvero parve insuperato sul *Rex*, e che attirava la ricca clientela americana, fu il servizio alberghiero. Per diventare, *maître d'chef* o semplicemente cameriere sul *Rex*, non bastava neppure un diploma rilasciato dai migliori istituti alberghieri; bisognava frequentare e passare a pieni voti la dura selezione di quello che oggi chiameremmo un «master» presso una speciale scuola privata, amministrata dalla società armatrice, e fondata a Genova nel 1926. I libri di testo dell'istituto lasciano esterrefatti: i camerieri dovevano frequentare, fra i tanti, una specie di corso di psicologia, in modo da «inquadrare» il cliente e capire quale tipo di servizio potesse soddisfare di più i suoi gusti, le sue abitudini: per esempio, se preferiva mangiare in fretta oppure stare a tavola più a lungo (per cui i tempi tra una portata e l'altra venivano opportunamente dilazionati o meno); e i bibliotecari dovevano sapere a memoria se uno dei 2000 volumi a bordo era disponibile o già in prestito, in modo che il passeggero non dovesse attendere la consultazione dei registri. Chiunque avesse prestato servizio alberghiero sull'ammiraglia italiana, quando avesse deciso di trovarsi un lavoro sulla terra ferma non doveva far altro che scrivere *Rex* nel suo curriculum per vedersi immediatamente assunto.

Le cucine, dove lavoravano 107 persone, erano un'altra meraviglia insuperata: erano tre, e quella di prima classe occupava da sola quasi 900 metri quadrati. Ogni giorno venivano serviti circa 8700 pasti e nessuna nave da crociera di oggi potrebbe permettersi di servire un menù come quello proposto dal *Rex*.

Un pranzo in prima classe era composto da 12 portate:

236

antipasti, zuppe, primi piatti, uova, piatti di mezzo, legumi, buffet freddo, insalate, gelati, dolci, formaggio e frutta. Il piatto di mezzo prevedeva solitamente una ventina di alternative di pesce e carne e altrettanti contorni e guarnizioni varie. Comunque, grazie alla varietà delle 100 tonnellate di cibi a bordo, era quasi sempre possibile richiedere un piatto speciale e vedersi soddisfatti.

Per dare un'idea, seppur vaga, a ogni viaggio erano imbarcati 8000 capi di pollame e 75.000 uova fresche, mentre la pasticceria di bordo preparava ogni giorno 12.000 pasticcini, 500 grandi torte, 5000 brioche e 300 chili di gelati in vari gusti.

Ma per consacrare definitivamente il *Rex* negli annali della storia serve altro. Nella città semovente convivevano due anime, l'albergo a «sei» stelle e lo *state-of-the-art* dell'ingegneria navale. L'«hotel *Rex*» aveva ampiamente dimostrato la sua supremazia, ma la «nave *Rex*»? Per diventare il numero uno assoluto c'era una sola strada: il Nastro Azzurro.

Questo trofeo spetta al transatlantico che compie la traversata dall'Europa agli Stati Uniti (e non in senso inverso, quando la corrente è a favore) alla maggior velocità. E il Nastro Azzurro conquistato dal *Rex* ebbe risvolti positivi immediati, per il nostro Paese fu come aver speso milioni di dollari in pubblicità per la promozione turistica. Anche i nostri cantieri navali cominciarono a ricevere ordini sempre più consistenti dall'estero, ma il fatto più straordinario fu che il *Rex* e il suo trofeo innestarono un effetto a catena di cui beneficiamo ancora oggi: basti ricordare che in Italia, per conto di armatori stranieri, sono attualmente in costruzione navi da crociera per 3500 milioni di euro e che ogni ordine ha un benefico effetto diretto sul PIL della nostra nazione.

Il *Rex* fu quindi anche il simbolo più acclamato dei primati raggiunti in pochi anni dall'industria italiana del settore; due i fattori vincenti della nave: la potenza sviluppata dall'apparato motore e la forma dello scafo.

Il *Rex* era dotato di quattro eliche in bronzo a quattro pale, del diametro di poco inferiore ai cinque metri e del peso di 16 tonnellate ciascuna. Fuse in un solo pezzo, furono le prime grandi eliche di produzione italiana (prima venivano importate dal Regno Unito). Ciascuna era mossa da un gruppo propulsivo dotato di tre turbine a vapore, con riduzione a ingranaggi. Ognuno dei quattro gruppi motore era stato concepito per sviluppare una potenza normale di 25.000 cavalli vapore, ma durante il viaggio record, grazie a degli stadi di extra-potenza sulle turbine, si sfiorarono i 145.000 cavalli effettivi.

In normale servizio il *Rex* teneva tra le 25 e le 26 miglia nautiche all'ora (ogni miglio marino corrisponde a 1852 metri), consumando dalle 760 alle 780 tonnellate di nafta al giorno, ma durante il viaggio record, per sfiorare i 30 nodi, i consumi salirono a 1100 tonnellate al giorno (il *Rex* imbarcava un massimo di 11.750 tonnellate di nafta).

Le motrici del *Rex*, furono, al momento della costruzione, le macchine più potenti mai costruite e, grazie a esse, l'Ansaldo si pose nel 1931 come secondo produttore al mondo di apparati motore, battuto, anche se di poco, dai cantieri navali triestini.

Gli ingegneri meccanici dell'Ansaldo ebbero un bel daffare a progettare e assemblare un tale apparato, che, in particolare era estremamente più compatto di quelli costruiti fino ad allora, in modo che ci fosse un sensibile risparmio di peso e, soprattutto di spazio, che poteva così essere messo a disposizione di quello che in gergo è il «carico pagante», cioè i passeggeri.

Ma i grattacapi maggiori li ebbero gli architetti navali che dovettero disegnare lo scafo della nave. Più una nave è affusolata, maggiore è la sua velocità; non potendo diminuire la larghezza del *Rex* (circa 30 metri), sia per evitare che rollasse troppo in mare agitato, sia per la necessità di avere dei saloni di grandi dimensioni, l'unica soluzione era quella di estenderlo in lunghezza il più possibile. Ma c'era il problema del bacino di carenaggio: la nuova ammiraglia italiana, come ogni nave, necessitava infatti di essere immessa in bacino almeno ogni due anni, per i lavori di manutenzione. All'inizio si era ipotizzato di costruire nel porto di Genova un nuovo bacino lungo abbastanza per contenere un *Rex* lungo quasi 300 metri, sfruttando i finanziamenti governativi. Purtroppo la costruzione del bacino nel capoluogo ligure non ebbe luogo, sia per i tempi necessari, molto lunghi, sia per la mancanza di fondi adeguati. Il *Rex* e il suo compagno, il *Conte di Savoia* (costruito a Trieste), erano già costati al finanziamento pubblico cifre esorbitanti in infrastrutture: avevano infatti richiesto il dragaggio del porto, la costruzione di un'apposita stazione marittima (Ponte Andrea Doria) e altri lavori stradali e ferroviari per merci e passeggeri a essi destinati. Pertanto si decise di estendere il più possibile (una trentina di metri) il bacino di Genova già esistente. Così i progettisti del *Rex*, per poter allungare il più possibile la nave e dotarla di un vasto lido poppiero ebbero la brillante idea di costruire una grandiosa poppa a clipper, una sorta di terrazza pensile che aggettava nella parte alta oltre il limite posto dalla lunghezza del bacino alla carena.

Un altro segreto dello scafo del levriero che contribuì alla conquista del Nastro Azzurro (compensando in un certo modo alla sua limitata lunghezza) ebbe un'origine curiosa, che vale la pena ricordare.

Se le macchine del *Rex* potevano contare sui «cavalli», lo scafo si affidò a un altro animale: la trota.

Per definire le forme d'acqua dello scafo, i progettisti, ancora oggi, si rifanno ai risultati delle prove di un modello della nave trainato in una vasca. Nel 1929, quando le prove sul modello del *Rex* erano in corso, la grande vasca navale di Roma era appena stata inaugurata, ma l'Ansaldo, giustamente, la snobbò; la definizione dello scafo di una nave, è ancora oggi una scienza piuttosto empirica e quel che conta soprattutto è l'esperienza. Gli architetti navali non possono fare altro che rifarsi a quest'ultima, e più se ne ha, più i risultati sono eccellenti. Soltanto testando il maggior numero di modelli possibili, e correggendone le forme fino a perfezionarli, si ottengono scafi che offrono la minore resistenza possibile al mare. Visto che a Roma di esperienza storica non ce n'era, l'Ansaldo si rivolse alla vasca navale di Amburgo, che, attiva dai primi anni del '900, aveva un archivio enorme di carene fra cui scegliere.

Per una di quelle strane congiunture del fato, poco prima che si iniziassero gli accertamenti sulla miglior forma per il *Rex*, un biologo tedesco, Victor Schroeberger, era stato alla vasca navale per studiare un modello alquanto insolito, quello di una trota. Egli non riusciva a capacitarsi della ragione per cui questo pesce di acqua dolce predilige starsene a riposo dove la corrente dei fiumi è forte; in questa situazione riesce a starsene tranquillamente immobile e, addirittura, fugge controcorrente con una maestria davvero unica nel controllo della sua rotta. Il modello di trota rivelò che la forma delle squame in quel pesce è in grado di sfruttare e recuperare l'energia della corrente opposta, trasformandola in spinta propulsiva.

Venne allora deciso, certamente non senza qualche perplessità, di «copiare» il metodo di sovrapposizione delle lamiere della carena della nave italiana per simulare al meglio possibile le squame della trota. Così facendo, le performance di velocità del *Rex* migliorarono del 5%: quel nodo e mezzo in più che il *Rex* poté tenere durante il raid del Nastro Azzurro fu determinante, visto che il record precedente (per ironia della sorte in mano ai tedeschi) venne battuto di circa un nodo; il grande avvenimento, che consacrò la marina italiana negli annali della storia, si deve anche all'aver preso spunto da madre natura.

Sebbene il *Rex* sia oggi più conosciuto di navi italiane più recenti (come *Michelangelo* o *Raffaello*) o che solcarono i mari per quarant'anni (come il *Conte Biancamano* o la *Saturnia*), la sua carriera si sarebbe esaurita in meno di otto anni: nel giugno del 1940 l'Italia entrò in guerra e l'ammiraglia finì in disarmo a Trieste per non tornare mai più a solcare i mari.

Tutto questo non avrebbe minimamente scalfito la leggenda del *Rex* e il suo mito, grazie anche a Fellini, che lo avrebbe consacrato nella scena centrale del suo *Amarcord*, perché, come mi disse, «è un sogno della mia giovinezza e come tutti i bei sogni non vanno dimenticati ma condivisi».

Fra pochi mesi uscirà dallo stesso cantiere di Genova Sestri che diede i natali al *Rex* la *Costa Fortuna* e, appropriatamente, il salone delle feste porterà il nome del mitico transatlantico italiano. Un modello del *Rex* «navigherà» sul soffitto blu mare nella hall della nuova ammiraglia italiana, attorniato dagli altri storici transatlantici italiani di cui raccoglie il testimone.

Intanto, in un giardino di Spalato giacciono abbandonate e ossidate dal tempo le tre grandi lettere in bronzo R, E, X, che tanti marinai italiani hanno lucidato con amore e orgoglio ogni settimana; miracolosamente salvate dalla demolizione, sono giunte fino a noi.

Ci permettiamo di suggerire che le autorità si adoperino per trovare loro una più degna collocazione: guardandole, molti verrebbero rapiti dal mito di quella grande nave; essa fu «il palco» per tanti personaggi e avvenimenti della nostra storia contemporanea, che Ulderico Munzi ha ammirevolmente reso e fatto rivivere in queste pagine, come un sogno meraviglioso, come quella ghirlanda di luci che scivola via nella notte di *Amarcord*.

MAURIZIO ELISEO, a bordo della *Queen Mary 2*,
settembre 2003

Maurizio Eliseo ha lavorato con le principali compagnie di navigazione di tutto il mondo nel settore della progettazione, costruzione e gestione delle navi da crociera. È autore di numerosi studi di storia navale dedicati ai transatlantici italiani.

Bibliografia e fonti

Bibliografia

ANED (a cura di), *Dallo squadrismo fascista alle stragi della Risiera*, Trieste 1974.

ANONIME (AMIRAL, X.), *La grande légende de la mer - L'épopée transatlantique*, Editions La Renaissance du Livre, Parigi 1930.

ANTONETTI, RENATA, MARSILI PIETRANGELI, FABIO E TESÈ, SILVIA NICOLETTA, *Luigi Pirandello*, Gribaudo, Cavallermaggiore 2001.

ARTIERI, GIOVANNI E CACACE, PAOLO, *Elena e Vittorio*, Luni Editrice, Milano-Trento 1999.

BALBO, ITALO, *Croisière sur l'Atlantique*, Plon, Parigi 1934.

—, *Diario 1922*, Mondadori, Milano 1932.

BARNESCHI, RENATO, *Elena di Savoia*, Milano 1986.

BISSET, JAMES, *Capitaine au long cours*, Editions France Empire, Parigi 1960.

BON, SILVA, *Trieste la porta di Sion. Storia dell'emigrazione ebraica verso la Terra di Israele 1921-1940*, Alinari, Firenze 1998.

—, *Gli Ebrei a Trieste. Identità, persecuzione, risposte. 1930-1945*, Istituto regionale per la storia del movimento di liberazione FVG-LEG, Gorizia 2000.

—, *La spoliazione dei beni ebraici. Processi economici di epurazione razziale nel Friuli Venezia Giulia. 1938-1945*, Comune di Gradisca d'Isonzo, Assessorato alla Cultura – Centro isontino di ricerca e documentazione storica.

BRENDON, PIERRE, *Gli anni Trenta*, Carocci, Roma 2002.

BRODER HANSEN, CLAS, *Passengers liners from Germany*, Schiffer, Atglen (Pennsylvania) 1991.

CALDIRON, ORIO e HOCHKOFLER, MATILDE, *Isa Miranda*, Gremese Editore, Roma 1978.

CAPUTO, RINO, «La 'cotidiana sete di spettacoli'. Pirandello oltre il fascismo e il futurismo», in *Studi in onore di Emerico Giachery*, Vecchiarelli, Manziana (Roma) 2001.

CIANO, GALEAZZO, *Diario 1937-1938*, Cappelli, Bologna 1948.

D'AROMA, NINO, *Mussolini segreto*, Cappelli, Bologna 1958.

DE AGOSTINI, CESARE, *Tazio vivo*, Conti Editore, Bologna 1987.

DE BEGNAC, YVONNE, *Palazzo Venezia*, La Rocca, Roma 1950.

DE CASTRIS, LEONE A., *Storia di Pirandello*, Laterza, Bari 1962.

DELARUE, JACQUES, *Histoire de la Gestapo*, Fayard, Parigi 1963 (trad. it. *Storia della Gestapo*, Dall'Oglio, Milano 1964).

ELISEO, MAURIZIO, *Rex*, Emanno Albertelli Editore, Parma 1992 e Tormena Editore, Genova 2003.

ELISEO, MAURIZIO E PICCIONE, PAOLO, *Transatlantici*, Tormena Editore, Genova 2001.

EVOLA, JULIUS, *Cavalcare la tigre*, All'insegna del pesce d'oro, Milano 1961.

FANTUZ, GIOVANNA E MALFATTO, IVAN, *Mio padre, Primo Carnera*, SEP editrice, Roma 2002.

FELLINI, FEDERICO E GUERRA, TONINO, *Amarcord*, Rizzoli, Milano 1973.

FERRI, EDGARDA, *Intervista a Carolina Nuvolari*, citata in De Agostini C., *Tazio vivo*, cit.

FEST, JOACHIM C., *Hitler*, Rizzoli, Milano 1974.

FIORDA, NUCCIO, *Arte, beghe e bizze di Toscanini*, Palombi, Roma 1969.

FRANZINELLI, MIMMO, *I tentacoli dell'Ovra*, Boringhieri, Torino 1999.

FRASSATI, LUCIANA, *Il Maestro Arturo Toscanini e il suo mondo*, Bottega d'Erasmo, Torino 1967.

GALZERANO, GIUSEPPE, *Gaetano Bresci*, Galzerano, Casavelino Scalo 1988.

GELLNER, ERNESTO E VALENTI, PAOLO, *Storia del cantiere San Mar-*

co di Trieste 1840-1996, Edizioni Luglio Fotocomposizioni, Trieste 2000.

—, Labirinto italiano: il fascismo, l'antifascismo, gli storici, La Nuova Italia, Scandicci 1989.

GUERRI, GIORDANO BRUNO, Italo Balbo, Mondadori, Milano 1998.

GUSPINI, UGO, L'orecchio del regime, Mursia, Milano 1973.

Histoire de la Compagnie Générale Transatlantique, Arts et métiers graphiques Editeur, 1955.

INCISA DI CAMERANA, LUDOVICO, Il Grande Esodo, Corbaccio, Milano 2003.

INGELBRECHT, DESIRÉ EMILE, Le chef d'orchestre parle au public, Julliard, Parigi 1957.

KLUDAS, ARNOLD, Great Passenger Ships of the World, Patrick Stephens limited, Wellingborough 1986.

LAURETTA, ENZO, Luigi Pirandello, storia di un personaggio fuori chiave, Mursia, Milano 1980.

LEMAY, CURTIS E., «Mission with LeMay», National Geographic, settembre 1965.

MAC CART, Atlantic Liners of the Cunard Line, Patrick Stephens limited, Wellingborough 1986.

MACK SMITH, DENIS, I Savoia re d'Italia, Rizzoli, Milano 1990.

MARCHIANÒ, MICHELE, Tazio Nuvolari antologia, Edizioni Legenda, Milano 2003.

MARSILI ANTONETTI, R., Luigi Pirandello, Cangemi, Roma 1998.

MAXTONE-GRAHAM, JOE, The only way to cross, Patrick Stephens limited, Wellingborough.

MILLER, WILLISM H., Liner, Patrick Stephens limited, Wellingborough.

—, German Ocean Liners, Patrick Stephens limited, Wellingborough 1989.

MORANDI, LUIGI, Come fu educato Vittorio Emanuele III, Paravia, Torino 1901.

MUSSOLINI, BENITO, Opera omnia, La Fenice, Firenze 1956.

MUSSOLINI, ROMANO, Apologia di mio padre, a cura di Rivista romana, Roma 1969.

NAVARRA, QUINTO, *Memorie del cameriere di Mussolini*, Longanesi, Milano 1972.

OLIVA, GIANNI, *I Savoia*, Mondadori, Milano 1998.

PAGLIANO, FRANCO, *Storia di 10.000 aeroplani*, Gruppo Ugo Mursia Editore, Milano 2003.

PAGLIANO, FRANCO, *Aviatori italiani*, Longanesi, Milano 1964.

PALADINI, CARLO, *Santi e pirati a Montecristo*, Roma 1902.

PETACCO, ARRIGO, *L'anarchico che venne dall'America*, Mondadori, Milano 1969.

PETACCO, ARRIGO, *Riservato per il Duce*, Mondadori, Milano 1979 e 1983.

PUPO, IVAN E BORSELLINO, NINO, *Interviste a Pirandello*, Rubbettino, Saveria Mannelli 2002.

QUÉFFELEC, YANN, *Toi l'horizon*, Editions Cercle d'Art, Parigi 1999.

RADZINSKIJ, EDVARD, *Nicolas II, le dernier des tsars*, Le cherche midi, Parigi 2002 (trad. it. *L'ultimo zar. Vita e morte di Nicola II*, Baldini e Castoldi, Milano 1992).

RAFFAELLI, FILIPPO E FABIO, *Nuvolari, il romanzo del centenario*, Alfredo Cazzola Editore, Bologna 1991.

SACHS, HARVEY, *Toscanini*, Il saggiatore, Milano 1998.

SANTINI, ALDO, *Nuvolari*, Rizzoli, Milano 1983.

SAUTREAU, SERGE, *Les rituels du naufrage*, Editions Hiers et Demain, Milano 1977.

SCIASCIA, LEONARDO, *Opere*, 3 voll., Bompiani, Milano.

SIMONESCHI, OTTAVIO, *Appunti ed impressioni sulla traversata Genova-New York con il «Rex»*, Editrice U. Gardini, Pisa 1934.

SMITH, W.A., *The Titanic disaster*, Washington Government printing office, Washington 1912.

SOLARO DEL BORGO, VITTORIO, *Giornate di guerra del re soldato*, editore, Milano 1931.

SPINOSA, ANTONIO, *Vittorio Emanuele III - l'astuzia di un re*, Mondadori, Milano 1993.

TROGOFF, JEAN, *La course au Ruban Bleu*, Société d'éditions géographiques maritimes et des colonies, Marsiglia 1945.

VERNE, JULES, *Une ville flottante*, Editions Jean de Bonnot, (trad. it. *Una città galleggiante*, Mursia, Milano 1989).

VIANA, MARIO, *La monarchia e il fascismo*, L'Arnia, Roma 1951.

WORTH, JOHN, *The man who beat the cunarders*, Ship and Sea, 1953.

ZACCAGNINO, VINCENZO, *I giganti di linea*, Mursia, Milano 1979.

Fonti

Centro di Documentazione del *Corriere della Sera*.

Centro di Documentazione del *Secolo XIX* di Genova.

Centro di Documentazione del *Piccolo* di Trieste.

Archivio Centrale dello Stato, Roma:

Ministero dell'interno, Direzione generale di pubblica sicurezza, Divisione affari generali e riservati, 1931, fascicolo categoria B.3 «Il re e la regina LL.MM. gita a Genova».

Segreteria particolare del Duce.

Archivio centrale dello Stato: Segreteria particolare del Duce, *Fascicoli alfabetici*, fascicolo 211.193 «Tarabotto Cav. Uff. Francesco, comandante del transatlantico *Augustus*, *Rex*...» Polizia Politica fascicolo per materia C21/8; polizia politica categoria 3/fascicolo 2.

Archivio centrale dello Stato: archivio OVRA (Zona I, comandante Nudi); Ministero dell'interno polizia politica (emigrazione clandestina, sovversivi negli Stati Uniti e in Francia, pedinamenti di personaggi di rilievo sul *Rex*).

Il Vicebrigadiere Aristide Pelissero e gli altri Carabinieri sono tutti citati in Archivio centrale dello Stato, ministero della Marina mercantile, *Direzione generale del personale e affari generali*, (Busta 448) W.670 «Servizio speciale sorveglianza navi».

Presidenza del Consiglio dei ministri 1937-1939 fascicolo 4.11.3711.

Su Italo Balbo: Archivio centrale dello Stato, Emilio de Bono, diario; Archivio centrale dello Stato, segreteria particolare del Duce, carteggio riservato; Archivio centrale dello Stato, Polizia politica. Archivio Italo Balbo.

Su don Cassani: Archivio centrale dello Stato, Ministero dell'Interno, *Divisione di polizia politica, Fascicoli per materia*, (Busta 245) categoria R.3 «*Rex* 1939/40». Ministero della Marina Mercantile.

Direzione generale del personale e affari personali, fascicoli L 1- w 660-670.

Fondazione Ansaldo, Genova.

Archives Nationales, Parigi.

Istituto Luce, Cinecittà, Roma.

Museo Tazio Nuvolari di Mantova, conservatore e storico dell'automobilismo Michele Marchianò.

Giornali Luce A0725 del 1931, B0375 1933, B0739 1935, B0148 1932, B0156 1932, B0326 1933.

Società Hapag Lloyd.

Monumento Nazionale Risiera di San Sabba Con particolare attenzione al contributo di Adriano Dugulin, David Levi e Silva Bon.

Automobile Club di Mantova.

Archivio del settimanale *Panorama*, edizione del luglio 1988, «Il fantasma del *Rex*».